师门五年记 胡适琐记

罗尔纲 著

生活·读书·新知 三联书店

写
在
前
面

　　本书作者罗尔纲（1901—1997）先生是著名历史学家，主要从事太平天国史与晚清兵制史的研究。胡适（适之）先生是开拓一代风气的历史风云人物。作者在青年时代曾师从胡适，在《师门五年记》中，他记述向适之先生求学问道，师生相处五年，情谊至深的人生经历。1944年此书问世后，学界评价甚高，史学家严耕望先生称，"此书不仅示人何以为学，亦且示人何以为师，实为近数十年来之一奇书"。

　　《胡适琐记》完成于1993年，之后有一次增补，共计35则记事，真切细致地记述了胡适从事学术研究、政治活动以及社会文化交往等生活情景。

　　两本书的写作时间相隔半个世纪，世间关于胡适治学之道、生平活动的著述极其丰富，但是由入门弟子亲撰的这两本姊妹篇角度独特，记录真实可信。书中适之先生对青年学生亲切、体贴、殷殷督教，有一颗熙熙如春阳，又慈悲又热诚的心。而作者自己虚心笃实、毫不苟且地为学，这样一幅充盈师友切磋乐趣的图景，令人神往。《师门五年记》出版近七十年，在海内外流传甚广，深受几代读书人的喜爱，甚至有"教科书"之称。今天特推荐给中学生阅读，共享春风化雨，做不苟且，好学尊师的学子。

此次重刊据三联书店 2006 年增补新版本，删去附录胡适自述、世人记述，十几幅历史图片予以保留。

生活·讀書·新知 三联书店编辑部

2012 年 6 月

罗尔纲

（1901—1997）

胡适与夫人江冬秀（1961）

罗尔纲与陈婉芬新婚照（1927）

史学研究会同仁合影（1934）
吴晗（左一）、谷霁光（左二）、罗尔纲（左三）、夏鼐（左五）、梁方仲（左六）

師榮賜序文，則學生微名亦將附

而這一冊小書若得

師賜序了。學生想就是其他的著作都淺陋

師如此過愛逾恆，所以學生就斗膽散气

敬悉吾

師賜序了。學生心裡很想，但不敢气求气

前十天王之屏（崇武）兄就提議叫學生請

師榮賜序文一篇於卷端。（卷端訂有八頁空白遷紙，師賜序其上）

師奔正錯誤，並气

昨夜航空雙掛號寄呈，想已收到。敬气

已。當達（內容大意信件文稿可作印刷的品題）命改為「胡適先生的教學方法」於

「師門辱教記」（隴籍·版）師賜閱一遍，訊憤怵莫

中央研究院社會研究所用箋

致函胡适，请为《师门辱教记》赐序（节选）

廿三年春天　適之師在北大講演考證學 大綱

凡考證……須問證據可靠與否。

①證人
　①這個證人是誰?
　②本人(本證 internal evidence)(如紅樓夢開端語)
②旁證　他的年代地域關係,使他有作證人的資格?
　①他是不是同時人?如不同時,後多少時候?
　②他與被告有無親屬朋友等等關係?
　③他與被告有恩怨心關係嗎?
　④他有何特殊資格來當證人?
　⑤他有作偽的動機沒有?

②證物
　①是真的嗎?
　②是原物嗎?　若是真的還得問
　③有無心的錯誤嗎?(誤記誤書誤傳)
　④有遍改動嗎?(改動又分心有意的)
　①有心的修改已近於作偽了。所謂偽,只是有心捏造而有詐欺的動機的。(如蒲留仙詩集石印本,如近人英雄傳的雍正乾隆時代一律。)

手录胡适"考证学"讲课提纲（1934）

同志们！我们做历史研究工作，必须记住：断断不能不加稽考就轻信，断断不能"一到文献是阿弥陀"。须知对史事、史料怀疑、考信，乃是我国两千年来学术上的优良传统。我们应该继承这个传统，发扬这个传统。

六　为学要有大无畏追求真理的精神，要有承认以错误的勇气

为学要有大无畏追求真理的精神，要有承认错误的勇气。

孟子说："自反而缩，虽千万人，吾往矣。"①真理如果在自己一边，虽千万人反对

① 见《孟子·公孙丑上》70。

晚年谈治学（手稿节录二则）

晚年的罗尔纲先生

目
录

师门五年记

胡适琐记

師門五年記

胡 適 題

胡 适 序

我的朋友罗尔纲先生曾在我家里住过几年，帮助我做了许多事，其中最繁重的一件工作是抄写整理我父亲铁花先生的遗著。他绝对不肯收受报酬，每年还从他家中寄钱来供给他零用。他是我的助手，又是孩子们的家庭教师，但他总觉得他是在我家里做"徒弟"，除吃饭住房之外，不应该再受报酬了。

这是他的狷介，狷介就是在行为上不苟且，就是古人说的："非其义也，非其道也，一介不以与人，一介不以取诸人。"①

① 见《孟子》卷五《万章》上："万章问曰：'人有言伊尹以割烹要汤，有诸?'孟子曰：'否，不然，伊尹耕于有莘之野，而乐尧舜之道焉，非其义也，非其道也，禄之以天下弗顾也，系马千驷，弗视也。非其义也，非其道也，一介不以与人，一介不以取诸人。'"注曰："言其辞受取与，无大无细，一以道义，而不苟也。"

（古人说"一介"的"介"是"芥"字借用，我猜想"一介"也许是指古代曾作货币用的贝壳?）我很早就看重尔纲这种狷介的品行。我深信凡在行为上能够"一介不苟取，一介不苟与"的人，在学问上也必定可以养成一丝一毫不草率不苟且的工作习惯。所以我很早就对他说，他那种一点一划不肯苟且放过的习惯就是他最大的工作资本。这不是别人可以给他的，这是他自己带来的本钱。我在民国二十年秋天答他留别的信，曾说：

> 你那种"谨慎勤敏"的行为，就是我所谓"不苟且"。古人所谓"执事敬"①，就是这个意思。你有此美德，将来一定有成就。

第二年他在贵县中学教国文，寄了两条笔记给我看，——一条考定李清照《金石录后序》的"王播"是"王涯"之误；一条考定袁枚《祭妹文》的"诺已"二字出于《公羊传》，应当

---

① 见《论语》卷七《子路》："樊迟问仁。子曰：'居处恭，执事敬，与人忠，虽之夷狄，不可弃也。'"注："恭主容，敬主事。恭见于外，敬主乎中。之夷狄不可弃，勉其固守而勿失也。"

连读，——我回他的信，也说：

> 你的两段笔记都很好。读书作文如此矜慎，最可有进步。你能继续这种精神——不苟且的精神，无论在什么地方，都可有大进步。古人所谓"子归而求之，有余师"，真可以转赠给你。

我引这两封信，要说明尔纲做学问的成绩是由于他早年养成的不苟且的美德。如果我有什么帮助他的地方，我不过随时唤醒他特别注意：这种不苟且的习惯是需要自觉的监督的。偶然一点不留意，偶然松懈一点，就会出漏洞，就会闹笑话。我要他知道，所谓科学方法，不过是不苟且的工作习惯，加上自觉的批评与督责。良师益友的用处也不过是随时指点出这种松懈的地方，帮助我们自己做点批评督责的工夫。

尔纲对于我批评他的话，不但不怪我，还特别感谢我。我的批评，无论是口头，是书面，尔纲都记录下来。有些话是颇严厉的，他也很虚心的接受。有他那样一点一划不敢苟且的精神，加上虚心，加上他那无比的勤劳，无论在什么地方，他都会有良好的学术成绩。

他现在写了这本自传，专记载他跟着我做"徒弟"的几年的生活。我一口气读完了这本小书，很使我怀念那几年的朋友乐趣。我是提倡传记文学的，常常劝朋友写自传。尔纲这本自传，据我所知，好像是自传里没有见过的创体。从来没有人这样坦白详细的描写他做学问经验，从来也没有人留下这样亲切的一幅师友切磋乐趣的图画。

胡适三十七年八月三日在北平

罗尔纲自序

　　1943年2月，我上桂林，广西桂林文化供应社总编辑钱实甫 ① 先生来找我，说：他正要找几位广西名人马君武、梁漱溟和我写自传式的为学记，目的是要使青年人知道为学的不易，不是一出大学的门，就可以学问自炫的。我听了他的话，说我是个一无成就的后生末学，怎能与马、梁两先生并提，辞谢了。第二天他又来，我仍辞谢。过几天他再来，我感到盛意难却，请他给我出题目。他说："你写跟胡适之先生做学问不是个好题目吗？"我想起适之师以"不苟且"三个字教我，使我终生感戴，受

────────────

　　① 钱实甫（1909—1968）名鼎铼，字实甫，湖南常德人。后来任华东师范大学教授。著有《清代职官年表》、《清季重要职官年表》、《清季新设职官年表》等书（均中华书局出版）。《中国现代社会科学家传略》第六辑有缪振鹏写的《钱实甫传略》。

用不尽！我觉得我这一段故事，或许可以使青年人领会得到一位当代大师那一条教人不苟且的教训，去做治学任事的信条吧。因此，我才答应了钱先生的邀约。

2月底回到我的家乡贵县来，我就执笔去写，3月9日脱稿。我恐怕里面有不得体的话，不愿寄出刊行，我妻陈婉芬也说请适之师看过再发表，因此便把稿子搁下。这年11月，我接到钱先生从桂林来电催此稿。我感激钱先生这样恳切盼望的盛情，因此才把它寄给钱先生。钱先生得了此稿，写信来问我愿意要什么酬报。我回信说，我写此稿，是为践朋友的诺言，故辞谢一切酬报。到了1944年6月，此书由桂林建设书店印出了。不到多少天，桂林便紧急疏散，所以在那个短短的时光内，此书还不曾得与广大的读者见面。

当出书时，承建设书店送了几十部给我，我的一个12岁的女儿文起，她拿起书来就迷迷的看下去。我笑问她说："你也看得懂吗？"她说："看得懂，真有趣！"我很奇怪，这本述师教、谈考据的文章，小孩子也看得懂？不久，桂局紧张，我带了一本仓皇入川。初时，不敢示朋友。后来给朋友看见了，一个个的传观，他们看了都很受感动，甚至有的看了也陪我流出感激的泪来。他们都主张我重印。我对此小书，本不敢自信，现在给朋友们这么一说，却也引动我再印的心。我觉得我这部小书，既然小孩子看了受感动，成年的人也受感动，我何幸得亲炙师教，何妨把它重印，使千千万万的读者都一样的受到感动——一样的受到我师的好教训！因此，将此书再细细的修改，在严寒的深夜里把它赶抄出来。然后写信去请独立出版社总经理卢吉忱（逮曾）① 先生帮忙。承卢先生的盛情，所以此书才有重印的机会。

不过，我还得向读者声明的：我这部小书，不是含笑的回忆录，而是一本带着羞惭的自白。其中所表现的不是我这个渺小的人生，而是一个平实慈祥的学者的教训，与他的那一颗爱护青年人的又慈悲又热诚的心。如果读者们能够得到这个印象，那么这一次重印便不为多余的了。

最后，我要感激卢吉忱先生和独立出版社使此书得以重印。同时，我也同样的感激恳切嘱咐我写此书的钱实甫先生和初印此书的桂林建设书店。

1945 年 2 月 3 日深夜，罗尔纲谨志于四川南溪县李庄

---

① 卢吉忱名逮曾，北京大学文学院秘书，兼文科研究所秘书，考古室事务便是他管理的。当时他在重庆任独立出版社总经理，所以我把此小书请他重印。

一　初入师门

1930 年初夏，我快要在上海中国公学毕业了。那时候，摆在我面前有两条路子：一条是学习创作，另一条是研究历史。我是喜欢创作的，也同样喜欢研究历史。究竟走哪条路呢，使我徘徊。后来经过再三考虑，看清楚我自己是个易于伤感的人，浪漫文学的时代已经过去，而且，我对人生的经历又很浅薄，要去创作，也是不适宜的。因此，我便坚决的选择了研究历史的路。

路子决定了，我就把我的志愿写了一封信，去请求校长胡适之师帮助我。适之师得了我的信，复我一封短信说："此间并无历史研究院，中央研究院的历史语言研究所又远在北京。大图书馆此间亦甚少。"问我每月需要多少钱，期望多少，叫我告他一个大致，他当为我想法子。

　　过了几天，适之师到学校，我去校长室见他。他见了我，就说："我知道你，你去年得到学校奖学金，你的文化史论文很好。我读了你的信，很明白你的情形。你毕业后，如果愿意到我家来，我是很欢迎你的。"原来文化史课程是适之师教授的；适之师做中国公学校长，他想要养成一种朴实勤学的风气，在1929年春学校就颁布一种奖学金条例，全校每年以成绩最优的五个学生应选。我在这一年的夏天，侥幸首次得到此项奖学金，所以适之师还知道我这个在学校里无声无息的一点不活跃的学生。我当初只希望适之师介绍我入研究院，而今却出我的望外，适之师叫我到他家去，使我得置身在一位当代大师的家庭，终日亲炙师教。我当时听了适之师的话，真是说不尽的欢喜！

　　到了6月初间，行过毕业典礼，我离开了那滨江临海的母校，在一个南风熏熏的夏天初夜，到了沪西极司斐尔路49号甲适之师的府上去。那天晚上，适之师恰巧宴请张菊生（元济）先生。张先生是戊戌维新的要人，政变后创办商务印书馆，乃中国出版界一个大元勋。适之师把我介绍给张先生，在我面前，一位年高德劭神采奕奕的长者向我还礼，使我肃然起敬。这一个初进师家之夜，与张菊生先生会见的一件事，对我的生命发生了影响。因为我在 1925 年暑假得了一场大热症，出医院后，因无钱未能遵医嘱服配补品。到秋天开学时不能上学，只得回我的家乡广西贵县（今改为贵港市）。开船后遇大风，晕船大呕大吐不止，在海船上得了虚脱病症。到家后病更重，接着患神经衰弱、胃病等症，中间有过一段严重的时期，自己以为生命是没有什么希望的了。到 1929 年以后，虽然身体已经有点康复的样子，但死亡的阴影还始终威慑着我。我怕提到一个死字，我怕看见棺材，在我那虚弱多病的身心里，常常怀着一个死亡的恐怖。后来适之师看出了我这种怕死的心理，他就把张菊生先生做个榜样来教训我说："你见过张菊生先生的。他青年时也很多病，因为善于保养，所以现在到了高年，身体还很好。一个人要有生命的信心，千万莫要存着怕死的念头。怕死的人常常不免短命，有生命自信的人，精神才会康健的。"我自从听了适之师这次劝诫以后，每逢遇到心理发生怕死的恐怖，就立刻想到那天张先生给我的印象，叫我多增加一次生命的鼓舞力，到了 1934 年我的健康恢复了。

我在适之师家的工作，是辅助祖望、思杜两弟读书，和抄录太老师铁花（讳传）先生（1841—1895）遗集。祖望、思杜都能自学，我只是辅导而已，每天主要工作却是抄录铁花先

生遗集。铁花先生是清代一位地理学者。他初从三品卿衔吴大
澂到吉林防边，大澂升任广东巡抚，他又到广东去，后来大澂
调任河道总督，他又去黄河办理河工。其后在江苏候补。光绪
十七年（1891），台湾巡抚邵友濂奏调到台湾去。甲午
（1894）中日战起，时铁花先生任台东州知州，明年，清廷战
败，割台湾，铁花先生得谕旨命归。总兵刘永福坚持抗日，请
他帮助，时他已病重，直到双脚都不能动，六月二十五日始舁
上船，六月二十八日到厦门，手足都不能动了。七月初三日卒
于厦门。铁花先生一生，东北到了吉林边疆，南到海南岛，东
到台湾，足迹所至，对地理学上多所订正。他又是一位精干廉
明的人，光绪间中俄交涉、中葡交涉、黄河河工、中日战争诸
役，铁花先生均与其役。此外在广东时北往韶关，西往梧州考
察关税，南往海南岛检阅军队，在台湾时，巡阅全台军政，凡
所经历，都有文书报告政府，并有日记详载其事。故铁花先生
全集，除了地理学的论文有其学术上的价值外，其全部记载，
乃光绪间一部有关外交的、内政的、军政的、河工的史料。他
的全部遗集分为年谱、文集、诗集、申禀、书启、日记六类，
约有80万字。要抄录这部巨著，不是一件容易做的工作。因
为铁花先生太忙了，在他的底稿上，东涂西改，左添右补，煞

是难看。抄写的人，除非十分小心，并且有耐性，是抄不下去的。有时还得用校勘方法，如在抄申禀时遇到那里的字句实在看不清楚了，就得拿书启或日记里面那些记同一事件的部分来对勘，方才可以寻得他改削的线索出来。因此，这一部巨著，适之师搁置了许多年还不曾找到一个适当的人去整理，到我来了，才交我抄录。我伏案做了这一件繁难的工作。

二 《蒲松龄的生年考》与
《醒世姻缘传考证》的启示

当我入适之师家时，他已经辞去中国公学校长。这年冬天，他就了中华教育文化基金董事会的编译委员会事，11 月 28 日，全家从上海迁往北平去，我随同前往。30 日，我们到了北平。

我初到北平的工作，是整理适之师的藏书。适之师的藏书，一部分在上海，一部分存在北平。上海的运来了，北平的也要开箱。在书房前的大厅上，纵横的陈列着约 20 个书架，适之师指点我把那些书籍分类放在书架上。

整理过书籍，我就继续抄录铁花先生遗集。到第二年 3 月抄录工作完成了。这时候适之师打算动手考证《醒世姻缘传》的著者问题，他要证明《醒世姻缘传》著者西周生，就是《聊斋志异》的著者蒲松龄。他为了要搜集蒲松龄的史料，借了两部《聊斋全集》的钞本——一部是清华大学图书馆藏本，一部是淄川马立勋先生藏本——叫我先把这两种钞本中的文、诗、词的目录来和上海中华图书馆出版的石印本《聊斋全集》对照，列一个对照表，然后单就那两种钞本，校其异同，重新辑录一部清华本与马本的混合本《聊斋全集》。当我做完三种《聊斋全集》目录对照表的时候，我将那个表送给适之师说："石印本的文和词，除了极少数之外，都是清华本和马本所收的。最奇怪的是石印本的诗，共262首，没有一首是清华本和马本里面见过的。"适之师本来已经很怀疑石印本的《聊斋诗集》，看了这个对照表，更加怀疑了。过了两天，适之师就写成一篇《蒲松龄的生年考》（后来改题作《辨伪举例》①）叫我看，说："石印本的诗集全是假造的，所以没有一首诗和清华本或马本相合。松龄本来活了76岁，张元撰《蒲先生墓表》，原没有错误，但传抄的墓表误作86岁。这位假造的人，误信了墓表钞本的一个误字，深信松龄活了86岁，所以假造那三

---

①　适之师对他这篇《辨伪举例》很满意，后来有读者在北平《晨报》上批评。他于1935年7月30日写信给《晨报》经理陈博生说："我的《辨伪举例》是我生平最得意的一篇考证学的小品文字。"（见耿云志《胡适研究论稿》461页）

首诗，一首《八十述怀》，一首《己未除夕》，一首《戊寅仲夏》。以坐实享年86之说。这个人真了不得！他做了262首假诗来哄骗世人；许多诗是空泛的拟古之作，如《拟陶靖节移居》，如《拟杜荀鹤宫怨》，那是不相干的。但他又查出了松龄的一些朋友，捏造了松龄和他的朋友们唱和的诗若干首，又抄袭《聊斋志异》的文字和注文，加上了许多详细的注语，这些注语都好像有来历的，所以许多读者都被他瞒过了。"我细细读了适之师的考证，其中最重要的一条证据，是引用《聊斋文集》松龄自撰他的妻子《刘氏行实》的一段话说：

> 孺人刘氏，……父季调，……生四女子，孺人其次也。初松龄父处士公敏吾……嫡生男三，庶生男一，……松龄其第三子，十一岁未聘，闻刘公次女待字，媒通之。……遂文定焉。顺治乙未（一六五五年）间，讹传朝廷将选良家子充掖庭，人情汹动，刘公，……亦从众送女诣婿家，时年十三。

按松龄生于崇祯十三年庚辰（1640年），卒于康熙五十四年乙未正月二十二日（1715 年 2 月 25 日），享年 76 岁。刘孺人生于崇祯十六年（1643 年）小于松龄 3 岁，如果松龄的生卒确如石印本诗集享年 86 之说，要提早 10 岁，那么，他 11 岁正当崇祯十三年，他的妻子还没有出世哩。"待字"之说从何说起呢？适之师这一条证据，就把石印本那些假证据都打倒了！接着适之师再从通行有注本《聊斋志异》里面，把那些假唱和诗中的朋友姓名履历的注语的来源，一条一条的都查出来，揭穿了上海中华图书馆石印本《聊斋诗集》的捏造。适之师根据我的对勘表作出这篇辨伪的实例，教导了我用对勘方法来解决考证问题。50 年代首先用来解决太平天国史料辨伪问题，写了我的太平天国史辨伪代表作《太平天国史料里第一部大伪书——〈江南春梦庵笔记〉考伪》。到 80 年代，以长达十年的时间解决了《水浒传》的原本和著者的问题。

适之师写成《蒲松龄的生年考》后，他又写一篇《醒世姻缘传考证》。这一篇考证，适之师经过五六年思考的工夫，方才审慎的动手撰写。其难度远在《红楼梦考证》之上，最足以代表适之师的考证方法。这篇考证的主题，是解答《醒世姻缘传》的作者是谁这一个难题。适之师解答这个难题，经过几许的波折，其中有大胆的假设，有细心的求证，终于得到完满的证实。适之师对这篇考证很高兴，他说他这一篇考证故事，可以做思想方法的一个实例，可以给将来教授思想方法的人添一个有趣味的例子。所以他在引文上就写上了一句"鸳鸯绣取从君看，要把金针度与人"的话。适之师平时教人做考证有两个法则：一个是大胆的假设，一个是细心的求证。我十分荣幸，在适之师草稿的时候，我就读到这篇考证，给我莫大的启发。从前顾颉刚先生在他的《古史辨》的自序里，曾说过他从适之师的《水浒传》考证和《井田辨》等论文里，得到历史方法的启示。如果我的工作还有一点学术上的意义，如果我还说得上是适之师的一个门弟子，那么，我做学问的态度和方法，便是在这一年里亲承师教读了《蒲松龄的生年考》和《醒世姻缘传考证》两篇考证得来的。

三　回乡省亲走上研究太平天国史的路

　　《聊斋全集》的编辑工作，到1931年秋天便做完了。就在这个秋天里，先嗣母林老孺人来信说她常常有病，叫我回家一行。我自1927年回过一次家，已经四年不曾归去了，想到暮年的慈母使我急于归去，我把这个情况向适之师说了，适之师也主张我回去。当我理好行装，想到一年半来适之师和江冬秀师母待我的恩礼，爱护我、体恤我，把我当做他们的子侄一样看待，尤其使我感激的，我在师家不过是一个抄写人员，地位十分低微，而师家却常常是名流满座，在那种场合下，我这个既敏感又褊狭的人，不免会起自卑感，适之师却早为我顾到这点，每逢我遇到他的客人时，他把我介绍后，随口便把我夸奖一两句，使客人不致太忽略这个无名无位的青年人，我也不至于太自惭渺小。有时遇到师家有特别的宴会，他便预先通知他的堂弟胡成之先生到了他宴客那天把我请去做客，叫我高高兴兴的也做了一天客。适之师爱护一个青年人的自尊心，不让他发生变态的心理，竟体贴到了这个地步，叫我一想起就感激到流起热泪来。我还不曾见过如此的一个厚德君子之风，抱热诚以鼓舞人，怀谦虚以礼下人，存慈爱以体恤人；使我置身其中，感觉到一种奋发的、淳厚的有如融融的春日般的安慰。到了快要离别了，却教我这个归心似箭的游子，兴起无边的依恋，我是个拙于言辞的人，几次走到适之师和师母面前，要说半句感激的话都说不出来，我只好写了一封信，送到适之师书桌上去，略表我的微忱。第二天适之师看见了，他回我一封信说：

　　尔纲弟：

　　　　我看了你的长信我很高兴。我从前看了你做的小说，就知道你的为人。你那种"谨慎勤敏"的行为，就是我所谓"不苟且"，古人所谓"执事敬"，就是这个意思。你有此美德，将来一定有成就。

　　　　你觉得家乡环境不适宜你做研究，我也赞成你出来住几年。你若肯留在我家中我十分欢迎。但我不能不向你提出几个条件：

（一）你不可再向你家中取钱来供你费用。

（二）我每月送你四十元零用，你不可再辞。

（三）你何时能来，我寄一百元给你作旅费，你不可辞。如此数不敷，望你实告我。

我用了这些"命令词气"，请你莫怪。因为你太客气了，叫我一百分不安，所以我很诚恳的请求你接受我的条件。

你这一年来为我做的工作，我的感谢，自不用我细说。我只能说，你的工作没有一件不是超过我的期望的。

适　　之

我曾经给适之师做了什么呢？这一年来，哪一件工作不是教导我、训练我呢！适之师却如此的款待我、奖励我。我当时盛满一腔感恩的热情，带着那珍贵无比的"不苟且"三字的师教，依依不舍的拜别师门，从北平前门上了火车，向着南国的故乡归去。

我的故乡，在广西贵县。我本预定过了春节就去师家。到除夕那天，族兄国香（尔菜）回里任县立贵县初级中学校长，约我帮他接收，又要我帮他招收新生，留我做教员。当我在大学读书时，先嗣母就希望我毕业后回家乡教书，这时更要留我在家乡工作了。我不忍过拂慈母的愿望，因此，就留在贵中当教员。我担任的课程是初中国文。有一天，教到李清照《金石录后序》，序中有一句说：

> 呜呼！自王播、元载之祸，书画与胡椒无异，长舆、元凯之病，钱癖与《传》癖何殊，名虽不同，其惑一也。

这一句话里面，共用四个故事：长舆是晋和峤字，峤富拟王者，而性很吝啬，杜预说他有钱癖。元凯是晋杜预字，预曾作《春秋左传集解》，自己说有《左传》癖。所以清照说："长舆、元凯之病，钱癖与《传》癖何殊。"胡椒是用唐元载故事，《新唐书·元载传》称载伏法，籍其家，胡椒至八百石。但考新旧《唐书·王播传》却都说播终于位，无被罪籍没的事，也没有记他爱好书画的事。所以历来注释家，对清照所用书画这个典故都注不出来。我记得从前看宋人叶某《爱日斋丛钞》记有唐人王涯藏前代名书画，及被祸，为人破垣剔取衮轴金玉而弃书画于道路的故事，我想，难道是清照把王涯记错做王播吗？

因检新旧《唐书·王涯传》，果然是王涯的故事，王涯爱书画，元载爱胡椒，及被祸，书画与胡椒同样遭殃，清照这句话本应作"自王涯、元载之祸，书画与胡椒无异"才合。她一时误记，就张冠李戴了！

又有一天，我教到袁枚《祭妹文》，有这样一段话：

> 汝之疾也，余信医言无害，远吊扬州，汝又虑戚吾心，阻人走报。及至绵缀已极，阿奶问："望兄归否？"强应曰："诺已！"予先一日梦汝来诀，心知不祥，飞舟渡江。果予以未时还家，而汝以辰时气绝，四肢犹温，一目未瞑，盖犹忍死待予也。呜呼，痛哉！

这一段话里"诺已"一词，我拿了许多本坊间出版的教科书和文选来看，都把"诺已"分开来读："诺"字连上文读作"强应曰诺"，"已"字连下文读作"已予先一日梦汝来诀"。这是大错的。一个人遇到自己不愿做的事，给人家勉强了不得不应承的，那才会有"强应曰诺"的；如果自己想要做的事，而无法遂愿，却给人家问着了，那只有无可奈何的勉强付诸一声"罢了"的叹息，决不会反"强应曰诺"的。考"诺已"一词，是春秋时齐国人的方言，《公羊传》："此奚斯之声也，诺已！"这是一个无可奈何的悲叹词，正同现在国语的"罢了！罢了！"的意思一样。袁枚写他的妹妹临终时望他归来而不可得的惨状，轻轻的用"诺已"一词表达出来，何等的凄恻！编选文章的人未能体会，把"诺已"一词分开去读，便差之毫厘，失之千里，把袁枚的本意全失了。

我觉得这两件事，都可以教人做文章得细心，编书的人得细心，教书的人也得细心，所以我便写了两段小札记寄呈适之师请教。那时候，我在《昭代丛书》癸集杨复吉的《梦阑琐笔》里，给适之师寻到他在《醒世姻缘传考证》里所引邓文如（之诚）先生的《骨董琐记》所述鲍廷博说蒲松龄是《醒世姻缘传》的作者一段文字的来源，我一并把那部书寄给适之师。适之师见了，他很高兴，回我一封信说：

尔纲兄：

谢谢你寄来的长信与《昭代丛书》一册。

你的发现最有用处，因为邓文如说是听缪筱珊说的，这是很晚近的人了。你寻出了他的娘家。杨复吉生于一七四七，死于一八二〇，与鲍廷博正同时，又是朋友，这就把这一段话提到十八世纪晚年去了。杨、鲍相会，可考的是《琐笔》所记的乾隆壬寅（一七八二）一次，其时去蒲留仙死时（一七一五）不过六十多年，这就很可宝贵了。我写了一编《后记》，附在序文之后。现在我要特别谢谢你！

你的两段笔记都很好。读书作文如此矜慎，最可有进步。你能继续这种精神——不苟且的精神，无论在什么地方，都可有大进步。古人所谓"子归而求之，有余师"，真可转赠给你。

我们自然极盼望你能来，但你的家庭情形既然有不能远离的情形，你决不可于此时北来。近几十年中的最可悲叹的现象，是内地学生学成之后，不肯回内地去服务。你在内地可以做许多有益于家乡的事业，万不可轻易抛弃。除非我能给你一个比现在更可以发展的机会，我也不应该邀你出来。祝

你好   适 之

适之师自始就以不苟且的精神教我，到我回到故乡来仍旧叮咛我要继续这种精神。族兄国香先生又是个办事认真的人，所以

我们在贵中两年，还算有点小成绩，至今还给许多同学怀念着。当时因为我的家庭不愿意我远离，所以适之师来信叫我在家乡安心工作。但是，我总觉得我在茫茫的学问大海里，找不到归宿，不免焦急着。

本来我在大学里，对中国上古史曾做过点探索，写了一篇《春秋战国民族考》。到了适之师家，便打算跟着这篇考证去进一步探索，预备要写一部《春秋战国民族史》。我根据的史料以《左传》为主，并参考《世本》、《竹书纪年》、《国语》、《战国策》、《史记》以及"五经"、"诸子"各书。这年夏历除夕，适之师为着要慰藉一个在过年的辰光正在思家的游子的寂寞，那天晚上，特地叫我到他的书房去细细问我的研究情况。我将写成的两章请他看。适之师看了说："你根据的史料，本身还是有问题的，用有问题的史料来写历史，那是最危险的，就是你的老师也没有办法帮助你。近年的人喜欢用有问题的史料来研究中国上古史，那是不好的事。我劝你还是研究中国近代史吧，因为近代史的史料比较丰富，也比较易于鉴别真伪。"我听了适之师的话，好似给一盘冷水当头泼下来一样，把我要研究春秋战国民族史的心灰了。但要换过方向去研究中国近代史，究竟选择哪一个题目呢？为了在大学里对中国近代史的生疏，却教我茫然不知所措。适之师这一个黑夜明灯般的指示，一直到两年后，一个偶然的机缘，才把我引到研究太平天国——一个中国近代史的专题方面上去。

这能不说是一件太偶然的事吗？那是1932年秋天的一个下午，我整理家中藏书，忽然在那尘封已满的旧书堆中翻出一册《光绪贵县志》的残本，我随手翻开来看看，那正是纪事部分，一开卷就在《纪事寇略》里面看到一篇张嘉祥传。张嘉祥是清朝道光末年贵县大盗，我儿时曾听叔曾祖母邓太老孺人说过他做强盗时的故事。邓太老孺人是曾经亲眼看见过他的。他后来受招安，改名国梁，做到江南提督，统兵围困太平天国的国都，兵败战死。他是清朝方面著名的大将。这篇传记全文如下：

张嘉祥，广东高要县人，初至贵县，在水源街全昌咸货铺雇工。旋辞出，往石鳖，捉牛皮铺荣利之子勒赎。荣利赴县告，县令杨曾惠仅循例出票，不严拘，因得漏网。道光二十五六年，嘉祥寓刘公圩，开卖洋烟馆，常从大岭、平村、博合、大滩往来，交结谢江殿、苏三等贼，以打劫为生。二十九年，官兵进剿。嘉祥屯扎甘塘，听盛总

戎招抚。随与城东门外惯贼王亚壮串通，挟制富户，派出
钱银，令其恶党守街，强取团练大炮。越年，县令张公汝
瀛莅任，成大团，嘉祥船经过，绅士逼缴回原炮，遂
往南宁。

我读了这篇传记，立刻使我想到晚清古文家薛福成也有一
篇张嘉祥传，那是在他的《庸盦笔记》里的。因在书架上取
来，翻开那篇《张忠武公逸事》来看，说：

张忠武公国梁，初名嘉祥，广东高要县人，美秀而
文，恂恂如儒者，然喜任侠，跅弛不羁。年十五，之粤
西，从其叔父学贾，顾心弗喜也。日与轻侠恶少游，其党
有为土豪所困者，公往助之，杀人犯法，官捕之急，遂投
某山盗薮。盗魁奇其貌，以女妻之，女嫌其疏贱，不
可。盗魁欲拔为己副，其党又不可。山中例呼盗魁为老
大，其友党皆为兄弟称，自二三四五以下各以才能之大小
为次之先后，乃呼嘉祥为老么——老么者，第十也。然每
出劫必倍获，抗官军必告捷，群党皆惊服。……顷之，盗
魁病死，群党推嘉祥为盗魁。……兵吏为所执者皆礼而遣

之，且具书自陈不得已为盗状，苟蒙宥赦，愿尽死力。及洪秀全反于金田，遣党招之。嘉祥拒不往曰："吾之为盗非得已也，岂从叛贼者哉！"向忠武公（荣）提军广西，使绅士朱琦为书招之。嘉祥约官军压其巢，出御而伪败，乃悉括山中财物，散遣其党，使归为良，而自降于布政使劳崇光军前，改名国梁。

我们将这两段记载两两对照，相差何其远！《贵县志》记的张嘉祥是一个掳人勒赎的强盗，薛福成记的张嘉祥却是一个被迫上梁山的好汉。我们究竟相信哪一方面的记载呢？我认为要知道张嘉祥是否被迫上梁山，应该查当时广西的吏治情况如何。因此，我就动手去查几部清代道光、咸丰间的文献。我看见了两篇重要的史料，一篇是龙启瑞的《上梅伯言先生书》，一篇是严正基的《论粤西贼情兵事始末》。这两篇史料，告诉我们知道广西自道光十六年（1836年）梁章钜做巡抚时起，十多年来，做一省长官的巡抚和布政使司、按察使司都以文酒征逐为豪举，他们对地方惩办盗案的属员，目为俗吏，或加以摈斥。于是做州县地方官的，看出上司的意旨，只好纵盗养奸，讳匿不报，成为当时的吏治风气，遂造成后来广西群盗如毛的局面。启瑞是临桂人，翰林院侍讲，道光三十年（1850年）丁父忧回籍，咸丰元年（1851年），总办广西团练。正基是奉旨来广西办理粮台的大吏。他们所说这种情况，是很可信的。故可知《贵县志》所说"张嘉祥掳人勒赎，事主赴告，县令杨曾惠仅循例出票，不严拘，因得漏网"的话，才是当时广西州县地方官的作风，而薛福成所记"张嘉祥任侠犯法，官捕之急，遂投某山盗薮"的话为失实。因为修《贵县志》的人，还是亲见嘉祥在贵县做强盗的人，故他们所记自是实情，而薛福成是江苏人，他的记载得自传闻，便不免失实了。在薛福成记载中，还有一件大错的事，就是他故意把张嘉祥与洪秀全牵上了线。薛福成说洪秀全起事，遣党去招嘉祥，嘉祥不从，到向荣为广西提督才招降他。按《贵县志》记张嘉祥招安之年为道光二十九年（1849年），招安嘉祥的人为盛总戎，考《浔州府志》盛总戎为南宁协副将盛钧，而考《忠王李秀成自述原稿》金田起义之年为道光三十年（1850年）十二月，考《咸丰东华录》向荣任广西提督系道光三十年八月才从陕西固原提督调任。那么，张嘉祥既是在金田起义前一年招安，到洪秀全起义时，即使有遣党招他的事，嘉祥也不会再说"吾之为盗，非得已也，岂从叛贼者哉"的话。而当嘉祥招安时，向荣还未调广西提督，向荣又何从招降他？薛福成的记载真是向壁虚造的了！中国历史家往往根据这种记载来修撰，中国历史的多诬，是怪不得的了。自从那天起，我就喜欢专选择道光、咸丰两朝文献，做我公余阅览的读物。于是渐渐的引起了我对太平天国史事的兴趣，因把家中有关太平天国的藏书都搜集在一处。我记得当时只有道光、咸丰、同治三朝的《东华录》，扪虱谈虎客编的《中国近世秘史》，其中收有《李秀成供》、《满清记事》及太平天国故事若干篇，《文艺杂志》节录的张德坚《贼情汇纂》、《曾文正公全集》、《胡文忠公全集》、《皇朝续经世文编》等几部书。我就从这样贫乏的设备里面，开始我的太平天国史研究。

适之师教我懂得怀疑，教我要疑而后信，而引动我开始太平天国研究的动机，便是由于怀疑薛福成所述张嘉祥故事的传说，结果，史实给我证明了薛福成记载的虚谬。这一件事对我以后研究太平天国史有至为重大的意义。因为太平天国史事，当时官书野乘已经传说纷纭，加以清季有一班人又特意伪造太平天国文献借来鼓吹革命。所以我们研究太平天国史，除非先存一个怀疑的态度，具有辨伪的功力去从事鉴别史料，考证史事，恐怕不免堕于五里雾中，难见真面目。我一开步走就存着怀疑的态度，我觉得我的步伐不会走错。以后我怀疑洪秀全与朱九涛的关系，怀疑洪大泉，怀疑石达开的诗文与其出身等等，都是继续这个步伐进行的，其后几年，我把我的怀疑一一地考证出来了，便在太平天国史上开了一种辨伪考证的风气。一点一滴的把太平天国史上的伪传说、伪文件逐步推翻去。这一点小小的工作，都是从适之师给我的训练，给我的教训得来的。

1933 年春，我仍在贵中教书，那时候，贵县成立一个修志局纂修县志。局长龚雨庭（政）先生知道我正在探讨太平天国史，他聘我做特约编纂，专负责关于贵县太平天国史迹的咨询。局中搜集有二十多种广西各府州县方志，还有一些与太平天国史有关的书籍，我得阅读了这批书籍。当时我一边教书，一边就根据我见到的材料，动手去写一部《太平天国广西起义史》和十几篇辨伪的札记。等到文章脱稿时，已经到年底了。

四　重入师门

1934年2月，族兄国香因办学成绩卓著，省政府把他升任当时广西除广西大学外另一个高等学府——广西省立师范专科学校的校长，他要我同去，我坚决不肯去，得了先嗣母的允许，决定再往北平从适之师。

我决定了行程，就写信奉告适之师。我离家北上。到上海时去拜候汪原放先生。原放先生是亚东图书馆编辑。1931年夏，他来适之师家，为人热诚豪放，彼此很相得。见了面，知道适之师得了我启程信，就打电报给他请招待我。我在原放先生家中住了几天，乘平沪通车往北平去。那天车到山东兖州附近，遇到匪警，车停了半天，误了钟点，直到第二天凌晨三时才到北平。我在那个薄寒侵人的仲春3月25日五更欲曙天里①，再入师门。一家人热烈的欢迎我。原来适之师昨天已经两次亲到车站去接我不着，临睡还打电话到车站去问通车的消息哩。

当我再到师家时，那个在北海公园旁边建筑宏伟的国立北平图书馆，早已经成立了。适之师叫我每天到北平图书馆去看书。北平图书馆是中国第一个大图书馆，藏书丰富，各种部门都有，我便专看太平天国史料部分。馆中藏的太平天国史料，除了许多木刻本外，还有珍贵的未刊钞本，和从德国国家图书馆摄影回来的太平天国官刻书多种。我看了这些资料，才知道我从前在家乡所见的史料的贫乏，根据那些贫乏的史料写成的《太平天国广西起义史》算得什么呢！本来那部稿本已经交汪原放先生由亚东图书馆印行的了，我赶快写信去请原放先生取消前议，于是我就在北平图书馆中，锐意阅读太平天国史料。我除了到图书馆阅览外，自己也搜访太平天国史料，一天一天的积聚，到今

---

① 我再到适之师家的日期已经忘记了，到80年代，看了颜振吾编的《胡适研究丛录》载的《章希吕日记》才知道。章希吕先生（亚东图书馆编辑）当时住在适之师家，他在1934年3月25日记说："罗尔纲先生由广东来，住适兄家中。罗先生前几年曾帮适兄抄抄稿，随适兄问问学。前年他家乡有个中学聘他去当教员，今年他辞去教员仍来从适兄，可见罗先生之好学。人甚诚恳可亲。"我才补加上去。谨注明于此，并以见以后数年同在胡师家的友谊。

胡适日记（民国二十三年三月二十四）中记载亲往车站接罗尔纲之事

天居然收集了不少，其中还有几部是未见的孤本和善本。

我在做搜求太平天国史料工作当中，同时还进行一种评判史料的工作。1934年秋，我在《北平图书馆馆刊》发表一篇《〈贼情汇纂〉订误》。《贼情汇纂》一书，是曾国藩把掳获的太平天国文件，叫属员张德坚编纂的，其目的是要用来侦察敌情，故叫做《贼情汇纂》，这是一部重要的太平天国史料，由南京国学图书馆照传钞本影印行世。我读了这部本子就写了这篇札记来指出书中若干条错误。书中有一篇天德王洪大全传记，我怀疑此人大概是清钦差大臣赛尚阿所捏造。当时我还是悬而未断，到两年后，材料渐渐的增添，证实了我的考证。这是我第一篇考证太平天国史事的文章。接着我又在《图书季刊》上发表一篇《读太平天国诗文钞》。《太平天国诗文钞》是罗邕、沈祖基两先生合编，商务印书馆出版。这部书收有许多伪造的诗文，我根据可信的史料，指出哪些伪诗文为赝品。其中关于石达开诗那部分我根据石达开的年龄、身世、太平天国制度和他的故乡——贵县父老的口碑，断定石达开乃是一个年轻的读书未成名的富农之子，他不曾中举人，并且不曾补秀才。《诗文钞》中那五首出自梁任公《饮冰室诗话》的所谓《答曾国藩》的诗是伪造的；其他所录许多首诗，也没有一首使人信得过的。今天还保存在广西宜山县白龙洞那首"挺身登峻岭，举目照遥空，毁佛崇天帝，移民复古风，临军称将勇，玩洞羡诗雄，剑气冲星斗，文光射日红"的题壁诗的风格思想才是真的，达开的诗序与他的大臣的和诗所署的官爵都可以为证。我在此文中这一段考证，五年之后，简又文先生在《大风旬刊》上撰《太平天国文献赝品考》引以为据，给柳亚子先生看见了，就写了两篇题石达开诗集跋文寄给《大风旬刊》，他告诉人们石达开诗什九是他的亡友南社诗人高旭（天梅）在清末鼓吹革命时伪造的。 他那两篇题跋录于下：

题残山剩水楼刊本石达开遗诗后

《残山剩水楼刊本石达开遗诗》共二十五首。自《答曾国藩》五首见于梁任公《饮冰室诗话》外，余二十首悉出亡友高天梅手笔。时在民国纪元前六年，同讲授沪上健行公学，天梅为余言，将撰翼王诗赝鼎，供激发民气之用，遂以一夕之力成之，并及叙跋诸文，信奇事也。封面题字亦天梅所书。当时醵金印千册，流布四方，读者咸为感动。于是《无生诗话》、《龙潭室诗话》、《说元室述闻》、《太平天国野史》竞相转载，而卢前辑《石达开诗钞》，罗邕、沈祖基辑《太平天国诗文钞》亦依据之，异哉！二十八年春蚕题于上海。

题卢冀野辑石达开诗钞后

饮虹园丁卢前（冀野），所辑《石达开诗钞》，民国十六年十一月泰东书局出版。记五六年前，冀野讲授暨南大学，余因衣萍之介，曾共一醉，遂索是书阅之。内容什九为天梅所作赝鼎，而颇多脱句误字，复缺二首，盖冀野未见天梅原刊本，第以《无生诗话》及《龙潭室诗话》得之，搜辑可谓勤矣。《饮冰室诗话》所辑五首赫然首列，颇有人疑出任公伪造，与天梅不谋而合，又《入川题壁诗》据罗邕、沈祖基《太平天国诗钞》，谓见《梵天卢丛录》，而《致石龙轩》四首，则冀野固未言出处，咸莫辨真赝也。……二十八年四月春蚕记。

自柳亚子先生的题跋在《大风旬刊》发表后，世人才相信今世所传石达开诗为赝品，才毫无疑问的证实了我的考证。高旭为了要鼓吹革命，在一个晚上做成了 20 首伪托石达开的假诗，与适之师考证出来的那位不知名的文人伪造 262 首的蒲松龄的假诗，动机虽有不同，而其为作伪却是一样的。这个故事，教训我们不要轻信载籍，教训我们要常用怀疑的精神，鉴别的眼光去评判史料。孟子说，"尽信书则不如无书"，这句话是值得做历史研究工作的人谨记的。

在这一年里，我又开始学习做考证论文。我第一篇论文是《水浒传与天地会》。我将贵县修志局发现的天地会文件所载天地会制度，来和《水浒传》那个"八方共域，异姓一家"的理想，"准星辰为弟兄，指天地作父母"的结义行为，作一个比较的研究，看出这个反清复明的大秘密结社的名号、信条和组织，原来正是从《水浒传》的理想渊源出来的。我把我的研究写成一篇论文，送呈适之师看了，他到大厅上的一架书旁取了一套《大清律例》，把其中夹有红、黄、蓝三色纸条那册，翻开蓝纸条夹着的地方，指出一条康熙年间定的严禁异姓歃血订盟焚表结拜弟兄的律例，叫我加上，以证明天地会确实成立于康熙初年。①

---

① 我这篇文章，发表于 1934 年 11 月 16 日《大公报》副刊《史地周刊》第九期。1935 年 1 月《太白》新年特大号特选载在《文选》内。到 70 年代，台湾学者已经完全证实。80 年代我再补充，收入《水浒传原本和著者研究》一书内。

　　写了这篇《水浒传与天地会》论文后，我继续写一篇《上太平军书的黄畹考》。这是太平天国史事中的一个疑案。世传苏州王韬曾上书太平军献攻上海策。王韬是同治、光绪间介绍西洋文化入中国的一个著名人物，他本人却极力否认此事，说是人家诬陷他。故宫博物院发现的那封《上太平军献攻上海策》的信署名是"黄畹"，而不是王韬。究竟"黄畹"是否即王韬呢？这是这篇考证的主题。我在这一年的夏天写成初稿，断定"黄畹"即王韬，"黄畹"为王韬的化名，送呈适之师看。适之师看了，说证据不够，叫我慢慢的补充证据，不要赶着发表。到了秋天，我逐渐的增添了几条证据，重写过一遍，再送呈适之师。适之师仍认为证据还不够，但说已经比初稿站得住了。于是适之师帮我访寻那些我还没有见过的王韬著作，来和"黄畹"的上太平军书作辞句上的比较研究，借北平图书馆收藏的王韬手迹，来和"黄畹"的上太平军书作字迹上的对勘；写信给苏州顾廷龙先生，请代查王韬入学的名字，以考和"畹"字有没有关联。后来各种材料都收齐了，我动手写成第三次草稿，送呈适之师。适之师才认为证据充足，结论站得住。他把我这篇考证送到北京大学《国学季刊》去发表。这是我第一篇在国内外著名的学术刊物上发表的考证。从此以后，我知道要做一篇证据充足，结论站得住的学术文章，真不是一件容易的事。适之师常常教我做文章应该一改，再改，三改，方才少免错误。我写这篇《上太平军书的黄畹考》的时候，他便亲身来督责我，使我一句话都不敢苟且。自从离开师家后，做文章时，我就再得不到严师如此的来督责我了。

五　史学研究会与北京大学考古室

在我重入师门后两个月，正是北平牡丹花盛开的季节，有几个青年人在清华同学会里组织一个研究史学的团体，叫做史学研究会。发起此会的人是吴晗、汤象龙、梁方仲。谷霁光、朱庆永、夏鼐、孙毓棠、刘隽、罗玉东是被邀约加入作为发起人的。到成立那天，吴晗来拉我去参加。会友中除吴晗外，我以前都不认识。吴晗是中国公学的同学，我毕业时，他是一年级学生，在校不认识。我到北平后，他带程仰之（憬）教授介绍信来找我，他为人热诚，一见如故，我们友谊最笃。因为承他邀约，我才加入会来。这个研究会是研究与友谊的结合。我们会中不谈党派，不谈理论；我们的宗旨只是站在友谊的立场交换各人研究的心得，以尽对建设中国新史学的一点绵力。每个月我们聚餐一次，谈谈各人研究的情形，春秋佳日，我们又常常约定日期去作郊游。我是从幼小就养成离群独处厌恶交游的习惯的人，在大学里，除了同乡外，差不多可以说没有朋友。自从入史学研究会，遇到这几位富于热情，有学养、讲友谊的朋友，我才懂得朋友切磋鼓励的乐趣。我们这个小小的团体，曾主办天津《益世报·史学副刊》和南京《中央日报·史学副刊》，中央研究院社会科学研究所出版的《社会经济史集刊》，也是我们会友做撰稿人。自离开北平后，会友星散，而今这个会是散了，每想当年北平的友情好似梦境，怎不叫人惆怅啊！

我这一次再回到适之师家，不同从前抄录《铁花先生遗集》和辑录《聊斋全集》时那样，每天有一个固定的工作。祖望、思杜两弟又上学去了，适之师家没有什么工作给我做，只叫我自己看书。我知道适之师与师母都是十分好客的人，对我又很爱护，但是，我禀受有我先本生母王老孺人那种狷介的天性，不愿不劳而坐受师家的款待。因此，在重回师家那年的秋天，我就请适之师介绍一件事做。我想当时适之师在我那闪烁的言词里一定看不出我的动机吧，他立刻答应了我的请求。过了几天，问我说："中华教育文化基金董事会有一个文书职位，是在我下面做事的，月薪120元，工作很清闲，有时间自己做学问，你意思怎样？"我请适之师给我考虑一两天。我想：月薪120元是算优厚的了，并且有工夫自己做研究，这是好的；但是文书究竟是事务工作，和我想到一个研究机关去的志愿相左。我将我的意见回复适之师。他说："是的，等我慢慢的替你再想一件工作。"那时候，适之师兼任北京大学文学院长。北大研究院里有个文科研究所，所长由文学院院长兼任。文科研究所分三部分，一部分是明清史料室，由孟心史（森）先生主持；一部分是语音室，由罗莘田（常培）先生主持；另一部分是考古室，当时无人主持，工作停了下来。适之师过了许久，叫我到考古室，主要的工作是整理艺风堂金石拓本，职位是助理，月薪只60元。问我是否愿意干。我想了一下，觉得这是一件研究工作，不应计较职位的低下，月薪的微薄，就很喜欢的答应去干。到了入考古室后，有人以为我不是一个金石专家，适之师叫我入考古室去未免不合人选。但适之师的看法却和他们不同，他认为金石专家做不得这件苦工作，因为专家们只要找他们所需要的材料，而不肯从头整理到底，只有一个虽然不是专家但可以训练成为专家的人才可以胜任。后来我做这件工作，前后三年，从周、秦整理到宋代，一直到北平陷落，我才停止。在我保管的时期，古物也没有散失丝毫，当那国难临头的时候，我还珍重的将古物一一封志好了，我才离开北平。我觉得这一件事，我还算没有辜负适之师的任用。

当时适之师叫我先在家中做预备工夫，然后到北大去。于是便将太平天国史书籍卡片、文稿一包一包的捆起来，打算今后不做太平天国史研究了。而另从适之师的书架取有关金石的书来学习。在大学里，没有金石学课程，但我却学过《说文》。于是我便把《说文》复习，每天学写篆书、隶书，预备把各种字体认识了，好得工作时能够辨认金石文字，并赶读《语石》、《金石萃编》等书，使略知金石学的门径。预备了一个多月，于1934年10月23日那天下午，我到了北京大学文科研究所考古室去。文科研究所在松公府，前面是北大图书馆，一进门，就是考古室第一陈列室。专陈列商周钟鼎和历代古物。从第一陈列室屋旁入去朝左转，是一个大院子，中是个四合房，那座坐东朝西的房子，便是我今后在那儿工作三年的考古室，在考古室右边的南房是语音室，左边的北房是考古室第二陈列室，专陈列古代经典写本和明、清珍贵的文献。对面的西房是西北科学考察团工作室做整理木简，却少有人来工作。在考古室的后面一株高高的核桃树下，有一所平房叫做艺风堂，堂中专藏艺风老人缪荃孙收藏的金石拓本。缪荃孙是晚清一位学者，他以个人30年的精力，收集了10800余种金石拓本，其收藏的广博，拓本的精工，海内称最。缪荃孙死后，这份珍贵的拓本归了北京大学，北大为了要纪念缪荃孙的功绩，所以这个贮藏缪荃孙拓本的专室，就用他本人的别号艺风两字来做室名。我到北大考古室来，便是整理这份艺风堂金石拓本。从艺风堂再入内是一个大广场，种有许多枣树。在广场左边，坐落一座大平房，正对着语音室的屋后，那就是明清史料室。这样疏疏的几所屋子，便组成了研究所的全部建筑。

当我打开艺风堂的门来看时，里面靠着墙摆着的木匣子的上面，已经堆上了一层层的尘埃了。适之师给我的整理计划是先编目录。由适之师定了一个目录表，印成卡片。每一种拓片要登记它的年代、地域、碑主姓名、撰人姓名、碑的高广、碑文行数和字数，碑文漫漶剥泐的部分等等。碑的正面要记，碑阴、碑侧也同样要记。卡片上还有附注一栏，专记工作时的发现。适之师这个金石目录表，比较以往任何金石著录家都详细得多，有用得多。所以要照这个表去登记每一种拓本的目录，是一个细致的工作。我每天独自一人在考古室的长方桌子上摆上那些拓本，用尺去量它，沿着桌边一个字一个字的去读它，然后坐下来去登记它，偶然遇有发现的地方，真是欢喜得要跳起来哩。我每天通常可以登记6种拓本，要登记完这10800多种拓本就须6年，这是一件多么道远途长的苦工！但我却感到乐此不疲。虽然我在那里所做的三年工作，而今已与艺风堂拓本一同付之东流，但是，我究竟给这件工作训练，使我养成一种更大的忍耐，一种锲而不舍的精神去从事我此后所要做的任何一种工作，不消说，自是我学习过程中一件值得纪念的大事。至于北大文科研究所中，那一种特有的质朴的学风，静穆的环境，至今还使我念念不忘。

在我入北大考古室没有多久，适之师到两广讲学，我就请他顺便把我的妻儿接出来。1935年1月，妻儿到北平，租了一所小房子。那时候，我只有60元的月薪，而每月我最低的生活费须用90元左右，还差30元。因为我有一子一女，儿子上学，路远跑不动，要包一部黄包车，只是车的钱，便已经占了我月薪四分之一了。本来适之师曾吩咐我，若钱不够用时，可请他想法子。我是个狷介的人，自然不愿向适之师借钱的，而况他本给我中华教育文化基金董事会那份优厚薪水的位置，我却选择这个薪水低微的工作，我还应该麻烦他吗！至于家中原本是可以接济我的，我却不肯给老人家知道我拮据情况。我决定写文章以补不足。那时候，每千字稿费普通2元，每月要拿

名　　稱	鄐君鄐掾開通褒余道碑			
碑		生		（西曆）
主		死		（西曆）
撰　人				
書　人				
刻石年代	東漢永平六年	（西曆）六三年		
尺　寸	長三尺四寸	廣七尺三寸		
字	額			
數	行數	十六行	每行字數 不定	附記
	殘缺	略有剝泐		
圖　繪				
外國文				
題　跋				
碑　陰		碑側		
所在地點	陝西襃城南五里摩崖			
見於著錄				
拓　本				

餘記　此碑刻石年代，經葉孫定為永平九年四月，大概據自家襃釋文"九年四月成說"之語。惟碑中并無此數字，故據碑首"永平六年"數字定其年代為永平六年。

胡适制定、罗尔纲整理并誊录的艺风堂金石拓片目录（之一）
北京大学图书馆胡海帆提供

名　稱	孝堂山郭巨石室畫象八石（八頁，另廟簷柱兩頁）六張			
碑　主		生		（西曆）
		死		（西曆）
撰　人				
書　人				
刻石年代	起東漢永建訖東漢永康		（西曆）一二六年至一六七年	
尺　寸	①又五六尺 ②又三尺 ③又一尺二又 ④又一尺 ⑤又五尺 ⑥又五又一尺 ⑦又六尺一又 另簷柱①又四尺二十一尺 另②尺三又一尺三又 ⑧廣六尺 ②二尺高①尺二尺四又 ③三寸②三寸。			
字數	額			
	行數	每行字數	附記	
	殘缺			
圖　輯	人物畫象			
外國文				
題　設	第三石有郭巨居題名，第五石有後泰明題名，武陽口頂題名第六石有十山阿口洴賢題名，第七石有泰山高令明題名。第二石有安吉題字，第五石有天門題字或王題字或王題字或三又大三幸魁等等第七石有胡王隨字。			
碑　陰		碑側		
所在地點	山東肥城西北六十里孝堂山郭巨祠			
見於著錄				
拓　本				
記	此石拓本共十頁，六頁似為正張，其餘四頁，一為東桌圍正面，一為西桌圍正面，一為廟簷東柱，一為廟簷西柱。檢藝風堂金石文字目記此數石有郭巨居後泰明高令明等題名，安吉天門戌王等題字，今推見有郭巨題名安吉題字，其餘題名題字均看不見似此數石已恢。 又緣此原編號與修邑拓滑，而拓本大似有遺失，故予仍新編為十號以便登記尺寸。缺七八兩石二紙。			

2364

胡適制定、羅爾綱整理并謄錄的藝風堂金石拓片目錄（之二）
北京大學圖書館胡海帆提供

30 元稿费须写 15000 字。我要写什么文章呢？这个问题却使我徘徊了。懂得金石学的人知道，在金石上偶然得到订正历史或订正文字学的地方，那是一种可遇而不可求的事，就是遇到了，每条也不过写得三几百字，所以即使是一个金石学专家，用他全部光阴，要他每月写 15000 字的金石学文章，也绝不可能。何况我初做金石学，白天又要做编目工作，要想写金石学文章来补助生活，那只好吃东风！我经过了多少次的踌躇，才叹了口气把我那些已经包裹起来的太平天国史研究重行打开来，说："我还是再写太平天国史文章去卖稿吧！"于是为了这一个生活困累，便把我要将全副精神集中于金石学研究的计划打破了，使我不得不以公余全部时间仍回到研究太平天国史的路上去。当时我的工作分成了三方面：考古室办公时间做整理艺风堂金石拓本的工作；星期日及假期到图书馆去继续搜集太平天国史料；晚上回家却在荧荧煤油孤灯下赶写太平天国史文章，常常写到午夜不得休。

六　煦煦春阳的师教

　　我一入师门，适之师就将"不苟且"三字教训我，我以前谨遵师教，到了妻儿来北平后，为了要卖稿补助生活，一大部文稿就不得不是急就章了。计自1935年春至次年夏这一年半里，我共写了近40万字的文章。其中只有《洪大泉考》，此文发表于1936年清华大学《社会科学》第一卷第三期，后收入《太平天国史丛考》内（正中书局出版），解决了太平天国一件大疑案，《艺风堂金石文字目伪误举例》（此文发表于北京大学《国学季刊》第六卷第一期），校出了缪荃孙氏的错误，那两篇文章仍一本师教，是我的精心苦作，为适之师所称许。此外，别的文章都是为生活而出卖的，至今想起来，还是一件痛心的事。

　　我十分惭愧，又十分感激，当我每次发表这种文章的时候，就得到适之师给我严切的教训。

适之师对我文章第一次严切的教训，是 1935 年春天，在《大公报·图书副刊》第 72 期上发表的那篇《聊斋文集的稿本及其价值》的书评。这篇书评，不用说自是为卖稿而写的急就章了。其中有几句批评《聊斋文集》的话说：

> 说到《聊斋文集》的价值，就这部新编的二百十九篇本来看，其中只有《述刘氏行实》一文是一篇好文章。刘氏就是蒲松龄之妻。松龄在这篇文章中，写大家庭的丑恶，写刘氏的辅夫教子，刻苦成家，以及写他自己的热中功名与刘氏的漠视富贵等方面，都有深刻的描写；在中国传记文学中，算是一篇上乘的作品。此外各篇都是无端而代人歌哭的文章，都不能算是文学作品。所以我们拿文学的眼光来批评《聊斋文集》，那是没有什么价值的。

适之师见了，教训我说："聊斋《述刘氏行实》一文固然是好文章，但他的文集里面好的文章还有不少哩，你概括的说都要不得，你的话太武断了。一个人的判断代表他的见解。判断的不易，正如考证不易下结论一样。做文章要站得住。如何才站得住？就是，不要有罅隙给人家推翻。"我回到家中，立刻把适之师的教训记在副刊我那篇文章上面。几年来，经过了多少次的播迁，那张副刊，我总好好的保存着，为的是要珍重师教。

到1936年夏，我在《中央日报·史学副刊》上发表一篇《清代士大夫好利风气的由来》的史论式短文，其中有一段论清代士大夫好利由于清初朝廷的有意提倡，引申清人管同、郭嵩焘的话，做我论断的根据说：

> 清初，朝廷的提倡士大夫务利，其用意有两点：一、鉴于前明士大夫好名的流弊；二、企图以利禄消磨汉族士大夫的气节，使他们对故国的依恋改为对新朝的效顺。关于后者，清代士大夫有所顾忌，自不敢加以论列。关于前者，管同曾痛论道："天下风俗，代有所敝，承其敝而善矫之则治，不善矫之则危且乱。明之时，大臣专权，今则阁部督抚奉行文书而已。明之时，言官争竞，今则科道不敢大有论列。明之时，多讲学，今则结社聚徒杳然无闻。明之时，尚清议，今则场屋策士涉时政不录。大抵明之为俗，官骄士横。知其弊而一切矫之，矫之诚是也。然百数十年来，其难乃起于田野之奸，间闲之侠，朝堂学校之间

安且静也。臣以为明俗敝矣，其初意则主于养士气，蓄人材。鉴前代者鉴其末流，必观其初意。故三代圣王有因有革，必举而尽变之，则更起他祸。"革明代人好名流弊而起的弊端是什么呢？管氏接着说道："今之风俗，弊在好谀而嗜利，故自公卿至庶人惟利是趋。"郭嵩焘也论道："自汉唐迄今，政教人心，交相为胜，吾总其要曰名利。西汉务利，东汉务名；唐人务利，宋人务名；元人务利，明人务名。二者不偏废也，要各有其专胜；好名胜者气必强，其流也揽权怙党而终于无忌惮，好利胜者量必容，其流也倚势营私而终归于不知耻。是说也，吾于数年前及见之，曾以告胡文忠公，自谓笃论。故明人气胜，得志则生杀予夺泰然任之，无敢议其非。本朝以度胜，得志则利弊贤否泛然听之，亦无敢议其非。一代之朝局成，而天心亦定。"士大夫到了"惟利之趋"，到了"倚势营私而终归不知耻"的地步，清廷蓄养顺民走狗的目的固然达到，而政治贪污的风气也从此造成了。

我这一段话，给适之师见了，他非常生气，写了一封很严厉的信来责备我，说：

尔纲：

我在《史学》(《中央日报》) 第十一期上看见你的《清代士大夫好利风气的由来》，很想写几句话给你。

这种文章是做不得的。这个题目根本就不能成立。管同、郭嵩焘诸人可以随口乱道，他们是旧式文人，可以"西汉务利，东汉务名；唐人务利，宋人务名"一类的胡说，我们做新式史学的人，切不可这样胡乱作概括论断。西汉务利，有何根据？东汉务名，有何根据？前人但见东汉有党锢清议等风气，就妄下断语以为东汉重气节。然卖官鬻爵之制，东汉何尝没有？"铜臭"之故事，岂就忘之？

名利之求，何代无之？后世无人作《货殖传》，然岂可就说后代无陶朱猗顿了吗？西汉无太学清议，唐与元亦无太学党锢，然岂可谓西汉唐元之人不务名耶？要知杨继盛、高攀龙诸人固然是士大夫，严嵩、严世蕃、董其昌诸人以及那无数歌颂魏忠贤的人，独非"士大夫"乎？

凡清议最激昂的时代，往往恰是政治最贪污的时代，我们不能说东林代表明代士大夫，而魏忠贤门下的无数干儿子孙子就不代表士大夫了。

明代官绅之贪污，稍治史者多知之。贪士一旦中进士，则奸人猾吏纷纷来投靠、土地田宅皆可包庇抗税，"士大夫"恬然视为故常，不以为怪，务利固不自清代始也。

你常作文字，固是好训练，但文字不可轻作，大轻易了就流为"滑"，流为"苟且"。

我近年教人，只有一句话："有几分证据，说几分话。"有一分证据只可说一分话。有三分证据，然后可说三分话。治史者可以作大胆的假设，然而决不可作无证据的概论也。

又在《益世报·史学》二十九期见"幼梧"之《金石萃编唐碑补订偶记》，似是你作的？此种文字可以作，作此种文字就是训练。

偶尔冲动[①]，哓哓至几百字，幸忽见怪。

_____

① 适之师看了我这篇短文为什么"冲动"起来，我一直不解，到近年读余英时《胡适之先生年谱长编初稿序》（见胡颂平编著《胡适之先生年谱长编初稿》第一册）才知道。余英时论梁漱溟要胡适对改变世界的争论说："如果我们用'大胆的假设，小心的求证'来代表胡适的基本态度，那么要他立刻提出一个对中国社会的性质的全面论断来以为行动的指南，便等于要他只保留'大胆的假设'，而取消'小心的求证'，这在他以'科学方法'为中心的思想模式中是不可想象的。1936年罗尔纲写了一篇《清代士大夫好利风气的

我读了适之师此信，叫我十分感激他如此严厉的督责我，爱护我。我一连四个晚上伏在桌上回了一封几十页的长信，向他恳切的表白我的感激，报告我一年来的工作、研究和生活的经过。那时候，我正在打算要研究清代军制，因并将我那个"研究清代军制计划"寄呈适之师，请他指导。当我的信寄到适之师时，他方入协和医院检查身体。得了我的信，在一天里面，回了两封信给我，说：

尔纲：

　　我那封短信竟使你写那么长的回信，我很不安。

_____

（接上页）由来》，胡适看了，非常生气。……试看胡适连这样一个局部性的概括论断（generalization）都不肯随便下，他怎么会轻易提出'中国社会是什么社会'这样全面性的论断呢？……而且从他的观点来说，梁漱溟对这个问题的提法便根本不能成立。罗尔纲的题目不能成立，因为我们还得建立'好利'和'好名'的严格标准。如果士大夫'好名''好利'的现象无代无之，又不能加以量化，那么这个题目自然是没有意义的了。……他的'科学方法'——所谓'大胆的假设，小心的求证'——他的'评判的态度'，……本质限定它只能解决一个一个的具体问题，但是它不能承担全面判断的任务。即使在专门学科的范围之内也不例外。……科学方法的训练，可以使人谨严而不流于武断，正因如此，严守这种方法的人才不敢不负责任地放言高论，更不必说提出任何涉及整个社会行动的确定纲领了。这在实验主义者而言，尤其如此。"余英时这段话，说明了适之师为什么对我这篇《清代士大夫好利风气的由来》这样生气。

你的回信使我很高兴。我猜想"幼梧"是你，果然不错。

你的轻视武亿、王昶诸人，却是，应该的。要知你所凭借的，不是看碑的眼光，乃是一份拓的最精的拓本，和一个许你专力做此事的机关。我读你已发表诸条只觉得条条都使我深刻的赏识艺风堂此份拓本之精工，远过于武亿、王昶诸人所见的本子。王昶、缪荃孙诸人都不能以全力作整理金石之事，他们的校录收了绝大的数目，其中有一些错误，是不能免的，是可以宽恕的。

我劝你挑选此项金石补订笔记之最工者，陆续送给《国学季刊》发表，用真姓名。此项文字可以给你一个学术的地位①，故应用真姓名。又你的职务，在北大是整理此项拓本故也应用真姓名。

我劝你以后应该减轻编辑《史学》的职务。一个人

---

① 余英时《胡适之先生年谱长编初稿序》论胡适能进北京大学任教主要是靠考据文字注说："据胡适晚年回忆，蔡元培要聘他到北大教书是因为看到《诗三百篇言字解》。"见《胡适之先生年谱长编初稿》页291编注。后来他在1936年6月29日给罗尔纲的信中劝罗氏用真姓名发表"金石补订之最工者"，并且说："此项文字可以给你一个学术地位。"这大概是从他自己早年的经验得来的。余英时这段话，指出适之师对我深厚的栽培。

编两个学术的周刊，是很辛苦的。

《洪大泉考》我很爱读，因为不曾带到医院中来，故今日不能评论此文。出医院后，当再写信。

《研究清代军制计划》，我是外行，恐不配批评。但我读你的计划，微嫌它条理太好，系统太分明。此系统的中心是"湘军以前，兵为国有；湘军以后，兵为将有"。凡治史学，一切太整齐的系统，都是形迹可疑的，因为人事从来不会如此容易被装进一个太整齐的系统去。前函所论"西汉重利，东汉重名，唐人务利，宋人务名"等等，与此同例。

最好的手续是不要先编《湘军志》，且把湘军一段放下来，先去看看湘军以前是否真没有"兵为将有"的情形。我可以大胆告诉你：一定有的。你试看《罗壮勇公年谱》，便知打白莲教时已是如此了。至于湘军以前，是否"兵为国有"，也须研讨，不可仅仅依据制度条文即下结论。今日在医院中检查身体，早起写此信。即问
安好

　　　　　　　　　　适　之二五、六、二九

尔纲：

今天写了一信，想已收到。

关于清代军制事，鄙意研究制度应当排除主观的见解，尽力去搜求材料来把制度重行构造起来，此与考古学家从一个牙齿构造起一个原人一样，这可称为再造Reconstruct 工作。

研究制度的目的是要知道那个制度，究竟是个什么样子；平时如何组成，用时如何行使；其上承袭什么，其中含有何种新的成分，其后发生什么。如此才是制度史。

你的《新湘军志计划》，乃是湘军小史，而不是湘军军制的研究。依此计划做去，只是一篇通俗的杂志文章而已。其中第二、三、四章尤为近于通俗报章文字。

我劝你把这个计划暂时搁起，先搜集材料，严格的注重湘军的本身，尤其是关于：

一、湘军制度的来历（例如戚继光的《纪效新书》）。

二、乡勇团练时期的制度。

三、逐渐演变与分化。

四、水师。

五、饷源与筹饷方法。

　　六、将领的来源与选拔升迁的方法。"幕府"可归入此章或另立一章。

　　七、纪律（纸上的与实际的）。

　　八、军队的联络、交通、斥候等等。（曾国藩日记中记他每日在军中上午下午都卜一二卦，以推测前方消息?）

　　九、战时的组织与运用。

　　十、遣散的方法。

　　我是门外汉，所见如此，不知有可供你的考虑的吗？

　　　　　　适　之二五、六、二九夜（协和医院）

　　适之师在这两封信中，教训我、鼓励我、指导我。他教我知道承认前人的功绩，教我不得有半点自满。他又鼓励我向金石学上努力，以取得学术的地位。他更谆谆的指导我研究清代军制的方法、步骤和应注意的地方。后来我做清代军制的研究，从适之师这个指示去追寻出清代"兵为将有"的起源，是由于"兵由自招"，"饷归自筹"两个因素所造成。这两种情形是"勇营"所特有的；那个作为国家经制军队的绿营却不如此。绿营制度有一个特点，就是"将皆选调，兵皆土著"。将皆选调，故将领的升转操自中央；兵皆土著，故兵丁不随将领的去留以为去留，而全国兵籍都握于兵部。至于兵饷则由户部每年指拨，而不是归将领就地自筹。因此，在绿营制度下则"兵归国有"，在"勇营"制度下则"兵归将有"。当嘉庆打白莲教时，绿营已经在腐化了，将领自招的"乡勇"业已抬头，罗思举（《罗壮勇公年谱》是他的自传）带的是乡勇，所以便已经露出了一点兵为将有的萌芽，适之师的指示是不错的。不过，那时候，绿营虽然打仗不得力，但仍然是国家经制的军队，故"兵归国有"之局，依然没有什么改变。在《罗壮勇公年谱》中记有一个四川绿营兵抗拒新任提督的故事，便可给我们做证明。这个故事的经过是这样的：打白莲教时，四川绿营兵跟提督七十五久了，大家出生入死，后来七十五无辜被参革职，兵士不平，新提督丰伸来营接统，兵士便起来持旗抗拒。但经过一下子的义愤，他们给罗思举几句话的劝告，便俯首帖耳听丰伸的命令了。因为他们明白他们是国家的兵，他们吃的是国家的粮饷，他们不是七十五私人招募的，要想抗拒新任提督是不可能的，所以终归不能不听丰伸来接统。这个故事，给我们描写出绿营时代"兵归国有"的情形，这个情形，到湘军时代便完全改变了。湘军里面，发生过一件霆营抗拒新统领娄云庆接统的事件。其情形颇和从前绿营时代川兵抗拒丰伸相似，而其结果则绝不相同。霆营抗拒娄云庆，云庆不敢前往接统，后来曾国藩只得把他们解散去。因为湘军是兵由将领自招的，饷是由将领自筹的，所以兵士只知有他们的将领，国家也派不得人来接统他们。咸、同之间，绿营完全崩溃了，由湘军起来代替了绿营，因此，才造成了晚清兵为将有的局面。而考其演变的起点，实始于嘉庆白莲教之役的招募乡勇，我把我的考证写了一篇《晚清兵为将有的起源》，在中央研究院社会研究所的《社会经济史集刊》上发表。适之师的指示，更根本的改变了我的粗浅的见解，使我懂得如何去研究制度史。后来写的《湘军新志》，美国学者拉尔夫·尔·鲍威尔在所著的《1895—1912 中国军事力量的兴起》一书中论为"对中国近代史的研究，作了有价值的贡献"，认为其结论"对充分了解晚清军事制度和权力结构的本质极其重要"，便是由于在开步走时就给适之师纠正了步伐的。我是这样的一个违教的学生，适之师竟然不惜苦口婆心来教训我，况且，他写这两封信的那一天，正当炎炎酷暑在协和医院里检查身体的时候，还忘不了要教训他的一个不成器的学生。师恩如春阳，我好比一株饱受春阳煦育的小草，叫我怎能说得出我的感激哩！

1937 年春天，我那部《太平天国史纲》出版了。这部小书，是我在 1935 年底至次年 4 月中的晚上拖着疲乏的身体匆促的写成的。我写此书的对象是中学生，因此许多材料都没有用到，一些有学术性质的考证也没有收入里面去。到了印出来，我送一本给适之师，他看了，责备我说："你写这部书，专表扬太平天国，中国近代自经太平天国之乱，几十年来不曾恢复元气，你却没有写。做历史家不应有主观，须要把事实的真相全盘托出来，如果忽略了一边，那便是片面的记载了。这是不对的。你又说五四新文学运动，是受了太平天国提倡通俗文学的影响，我还不曾读过太平天国的白话文哩。"适之师的话，叫我毛骨悚然！太平天国之役，19 年长期大战，毁坏了多少文物，摧残了多少都市和农村，兵灾疫疠的浩劫，生民流离的悲惨，我都搜集有此类史料，我为什么在此书中不作详细的叙述呢？这便好像是有意的把那些残酷的事实掩蔽了。法国历史家凡德尔（Vandal）在开讲法国大革命的演讲时说过："我们的演讲，不要越出两端之外；一端是教人革命，一端是不教人革命。演讲家只能自处于历史家的地位，讨论历史，不要存什么成见，也不要预存结论，也不要发表什么融通的议论。"我这部小书不正成为"教人革命"的宣传品了吗！至于太平天国提倡通俗文学一事，我只可以说太平天国曾有此种提倡，但却不能说五四新文学运动是受了它的影响而来。我这种牵强附会的说法，正违犯了章炳麟所论经师应守的"戒妄牵"的信条（见《太炎文录·说林下》），也就是违了适之师平日教我们"有一分证据说一分话，有三分证据说三分话"的教训。我站在适之师面前，默默的恭听他的教训，在那一瞬间，叫人闪电一般想起了一件往事。那是1934年的夏天，陈仲甫（独秀）先生关在南京狱，他也打算做太平天国史研究。汪原放先生是仲甫先生的年家子（原放先生的尊人和仲甫先生是清末在江南读书时的同学，故有此年家的交谊），常送衣物去给他。仲甫先生就叫原放先生找几本太平天国史给他看。原放先生给他买了几部坊间出版的太平天国史，连我那部放在亚东图书馆的《太平天国广西起义史》未刊稿也送去了。仲甫先生却特别的谬赏我那部粗疏的稿本，问了原放先生，才知道我是一个跟适之师做学问的人。他同原放先生说："请你对适之说，可以请罗先生来南京和我谈谈太平天国吗？"原放先生写信告知适之师。那时候，亚东图书馆编辑章希吕先生也住在适之师家，适之师笑对希吕先生和我说："仲甫也要研究太平天国，他对原放说想请尔纲去南京和他谈谈。仲甫是有政治偏见的，他研究不得太平天国，还是让尔纲努力研究吧。"那时候，适之师对我的希望是如何的恳切呢！我而今却写出这样荒唐的东西，使他又是如何失望啊！我想起了这一件往事，叫我满面羞惭抬不起头来。后来这部小书给《大公报》誉为一部具备时、地、人的条件的好著作。当时惟一书评刊物——《书人杂志》评为中国最新十部佳著之一。金毓黻《中国史学史》把它列在唐宋以来的私修史内。直到最近出版的《剑桥中国史》还评论说："罗尔纲的《太平天国史纲》，现在仍然是最好的一部概论性著作。"那真叫我惭愧无地了！

适之师教训我常常如此的严切。他的严切，不同夏日那样可怕，却好比煦煦的春阳一样有着一种使人启迪自新的生意，教人感动，教人奋发。

* * *

我在北大考古室，做了两年，还是助理。因为北大文科研究所的升迁，向例是少有的。所中同事们往往做了六七年未迁一阶，所以我自然也同样的待遇。但朋友们在别个机关，却年年升转，他们都为我着急，汤象龙、梁方仲两先生在南京把我的情况向中央研究院社会科学研究所陶所长孟和先生说了，孟和先生便托罗莘田（常培）先生北归时，代请适之师提高我的待遇。孟和先生和朋友们对我的好意，我是十分感激的；然而适之师的困难，我却是知道的。他在北大一向不用一个私人，他把我安置到考古室去，已经是破例的了，他做文科研究所的主管人，别的同事不升迁，能把我升迁吗！我将这种情况向朋友解释，但他们却仍不以为然。先是我于1935年秋在《益世报·史学》上发表了一篇《淮军的兴起》，指出淮军为曾国藩济湘军之穷，弥缝他本人无限之缺憾而假李鸿章之手来创立的。清华文学史学系主任教授蒋廷黻先生看了，认为是发前人所未发，言前人所未言的真相，对吴晗先生说要约我谈谈。适史学研究会举行郊游西山，我就在那天留住清华园，晚餐后，华灯初起就由吴晗、谷霁光两先生陪我去见廷黻先生，一直纵谈到次晨一时多，十分畅快。第二年春，廷黻先生出任驻苏联大使，他教授的中国近代史功课，就推荐我接任。清华文学院院长冯芝生（友兰）先生到北大文学院适之师处，请我去清华教这门功课。适之师是很高兴的，因为他的一个无名的学生，已经给著名教授重视了，但他却替我辞谢了清华聘请。这个消息，给朋友们知道，除了吴晗先生叹气不说话外，都不免愤激起来。他们以为适之师在北大既不升我的级，又不放我到清华去，是看不起我。其中有一位激烈的朋友，他几乎要去质问适之师。那时候，妻儿已经回了家乡，我住在一个朋友的宿舍里。那儿是我们史学研究会会友聚集的场所。我平常每到星期日早上，就到适之师家去看看思杜弟的功课。自从适之师给我辞谢清华聘请的事后，朋友说："适之先生既然看不起你，你还有面子上他家吗？"朋友是少年气盛的，不由我分解，一到了星期日上午，他们就拉我游公园，不许我到适之师家去。如是有两月之久。朋友们替我活动，谷霁光先生把我向南开大学经济研究所推荐，汤象龙、梁方仲两位先生把我向中央研究院社会科学研究所推荐。到了5月底，两处同时聘请我。朋友才放我到适之师家去告知适之师。我怀着一种踌躇趑趄的心情，走进了适之师家。师家的人，以为我害病了，许久没有来，但适之师心里明白。他等我把要说的话说了，就说："尔纲你生气了，不上我家，你要知道，我不让你到清华去，为的是替你着想，中国近代史包括的部分很广，你现在只研究了太平天国一部分，如何去教人？何况蒋廷黻先生是个名教授，你初出教书如何就接到他的手？如果你在清华站不住，你还回得北大来吗？"他停了一下，接着说："我现在为你着想，还是留北大好，两处都不要去。你到别个机关去，恐怕人家很难赏识你。"我听了适之师的话，一腔热泪，涌上眉睫，他不以我的愚顽而遗弃我，仍然一样的为我的前途打算。我明白了，我完全明白了适之师对我的爱护。我要用我的泪珠洗涤我的罪过。等到辞别了适之师，一跳上洋车，眼泪就忍不住流出来了。后来适之师给我决定：北大把我升为助教，加薪20元，考古室添助理一人，书记一人，帮助我工作。另外每月领中央研究院社会科学研究所津贴50元，研究清代军制。到第二年夏天，考古室助理工作上了轨道，北大才准我辞职转入中央研究院。

这一年秋天，妻儿再从家乡来北平。那时候，我每月130元的薪津，我仍然过着90元一月的生活，每月有40元剩余。本来我到了北平就养成访书的爱好，成为一个最感兴趣的生活，即囊有余钱，我到琉璃厂、隆福寺、头发胡同、东安市场各处书店、地摊、担子去访书的工作更走得勤了。那几本珍贵的曾国藩手批萧盛远所呈《粤匪纪略》，王韬手钞本谢介鹤《金陵癸甲纪事略》，左宗棠《致张曜书真迹》，明刻《今古奇观》残本，乾隆帝朱批《异域琐谈》，都是在这一年内访得的。此外，并专收清代军制的书。我历年陆续收得许多光绪、宣统年间创办新式军队的史料，后来我在中央研究院便得利用这些史料来写《晚清兵志》一书。

因为生活不再紧张了，所以我便得有心情来常常反省自己，和静观各方面人事的变化。我认识到适之师那句"你到别个机关去，恐怕人家很难赏识你"的话，好似暮鼓晨钟一般警告我。我这个人，性鲁行方，不会应付人事，不是适之师，谁能同他这样爱护我，体谅我，宽恕我，弃我之短而录我之长呢？我还是再跟适之师在北大吧。北大升迁虽然不易，我还是安贫守拙的好。我经过一年长长的考虑，到了1937年5月底，看看快要接受中央研究院的聘约的时候，我毅然把我愿留北大的决定告知适之师。适之师十分欢喜，因为他那个顽鲁的学生现在看清楚自己了。他安慰并且鼓励我说："你愿留北大，我十分欢喜。北大是能够让你好好的发展的。你从下半年起，半天做整理艺风堂金石拓本，半天做研究工作，随你自己的意，做研究金石学也好，做研究清史也好。至于中央研究院方面，我替你向孟和先生商量，仍领津贴研究清代军制。"事情决定了，我眼前充满光明，一种恬静的愉快的心境叫我安心立命留在北大，怎知道不到两个月，卢沟桥的烽火就把我这个决定打破了，使我不得不离开北大。

韶光如水般过去，离别师门，快要六年了。寂寂的中年倏忽的已经到来，想起我往日受过的那煦煦春阳般的师教，我应该如何的努力将来，然后方才不致始终成为一个有辱师教的人呢！

胡适后记

尔纲这本自传是 1945 年修改了交给卢吉忱的。后来吉忱要我写一篇短序，我的序是 1948 年 8 月才写的。可能是我的序把这书的付印耽误了。1948 年 8 月以后，吉忱就没有印这书的机会了。1952 年我在台北，问吉忱取得此书的修改稿本。1953 年我去美国，就把这稿子带了去。

如今吉忱去世已好几年了。尔纲和我两人，成了"隔世"的人已近 10 年了。

这几年里，朋友看见这稿子的，都劝我把他印出来。我今年回国，又把这稿子带回来了。我现在自己出钱把这个小册子印出来，不作卖品，只作赠送朋友之用。

1958 年 12 月 7 日晨，胡适记于台北县南港中央研究院

附：关于《师门五年记》

一　此书原名《师门辱教记》

这部小书是 1943 年我上桂林时，广西桂林文化供应社总编辑钱实甫先生约我写的。本作《师门辱教记》。我为什么把它叫作《师门辱教记》呢？这是因为我著的《太平天国史纲》于 1937 年春出版了，适之师严厉地训饬我偏于太平天国，有背史家严正的立场。那时候，许多太平天国史料还没有发现，我也和当时的人们一样以为杀人放火，抢劫掳掠，是太平天国干的。所以我沉痛地感到有负师教与他对我的希望，因把此书叫作《师门辱教记》。7 年之后，广西通志馆从湘乡曾国藩后人家抄了《忠王李秀成自述原稿》回来请我考证，我才知道清朝方面的记载都是诬蔑的。这年秋，日本侵略军入桂，我奔往迁在四川南溪县李庄镇中央研究院社会科学研究所，写了一篇《世传太平军奸淫杀戮考谬》（刊于1948年出版的《太平天国史考证集》内）。我是到了那时才知道清朝记载是诬蔑的。因此，1937年春适之师的责斥，我当时认为是完全对的，所记这一节，确实是实情。适之师那天生病在家。我上午7时30分把书送去，到12时下班回家，就接到条子叫我去。那天吴晗来我家，吃了午饭就一同去。适之师午餐后都睡午觉的。可是那天不睡，在书房等候我。他那天是盛怒的，吴晗陪我出来说他听了也惊怕。那天是1937年2月21日，适之师在日记上记这事道：

　　读罗尔纲《太平天国史纲》一册。下午尔纲与吴春晗 ① 同来，我对他们说："做书不可学时髦。此书的毛病在于不免时髦。"例如一三二页说："这种种的改革，都给后来的辛亥时代，以至五四运动时代的文化运动，以深重的影响。"我对他们说："我们直到近几年史料发现多

————————

① 吴晗当时名叫吴春晗，时任清华大学讲师，后来删去春字，叫吴晗。

了，始知道太平天国时代有一些社会改革，当初谁也不知道这些事，如何能有深重的影响呢？"

但此书叙事很简洁，是一部很可读的小史。①

当时情况，我是"站在适之师面前，默默的恭听他的训斥"，吴晗却是坐在适之师书桌对面的客位，适之师只训饬我一人，并没有对吴晗说。适之师晚上的态度也完全不同了。由于当时认为适之师的教训完全对，我是辜负了适之师的教训与希望，因此，把书名叫为《师门辱教记》。适之师于1958年重印时改为《师门五年记》。

二 读者的评论

80年代中，50年前在贵县初级中学教书时的学生在台湾以研究宋代杰出女作家朱淑真著名的潘寿康教授来见我，说《师门五年记》如同教科书一样在台湾销行。他送有一本他编的《治学方法论》给我，此书共分五组，其第五组治学经验

---

① 见1985年中华书局出版的《胡适的日记》下册第539页。

谈收《师门五年记》和金承艺《读罗尔纲师门五年记有感》
两篇。

金承艺是 1958 年 12 月 17 日在台北参加庆祝北京大学校
庆和适之师 68 岁生日的北京大学同学。他记说：

> 一九五八年十二月十七日，是北京大学六十周年校庆
> 纪念日；又恰好是校长胡适之先生六十八岁的诞辰。那天
> 上午，在台北的北大同学们凡是去南港中央研究院给胡先
> 生祝寿的人，胡先生每人都送了一本"我现在自己出钱把
> 这个小册子印出来，不作卖品，只作赠送朋友之用"的小
> 书，这本小书就是罗尔纲先生写的《师门五年记》。

他得了这部小书，拿回来一口气读完后，写他的感受说：

> 我得承认，这本小书使我很受感动。
> 如果这本书，仅只是叙述罗尔纲自己与胡适之先生间
> 师生相处五年，对师恩称颂的报道，那我以为它就不会很
> 感动人了。我所以受这本书感动，是因为这本小书中有
> "从来没有人这样坦白详细的描写他做学问的经验"（胡

先生在序中的话）。它不单是介绍出一位对学生的态度如煦煦春阳，而对学生求学问的态度却又要求一丝不苟，一点也不能马虎的先生，并且叙述出一个极难得的虚心、笃实、肯接受教训的学生。做学问，而一点不苟且、永远说实话，这大概在任何时代都是可遇而不可求的事。可是在这本书里，有一个不苟且，说实话的学生，这真不能不使人感动了。

这个评论说得对，这部小书之所以感动人，之所以给适之师看得起，就因为它不是对适之师歌功颂德，而是把他那颗煦煦如春阳爱护学生、栽培学生的心报道于人间，使人启迪，使人奋发。

在胡颂平编著《胡适之先生年谱长编初稿》1959 年 7 月录有台湾著名历史学者严耕望向适之师索赠《师门五年记》的信说：

前天在友人处见到罗尔纲先生所写《师门五年记》，假归一气读完，深感罗先生真璞可尚，而先生之遇青年学生亲切、体贴、殷殷督教，无所不到至极，读之令人神往，深感此书不但示人何以为学，亦且示人何以为师，实为近数十年来之一奇书，不识先生手头尚有存余否？如有存者，乞预留一册惠赐为荷。

在香港《明报》上登载有江茶撰《两位史学家》[①] 一文说：

最近读到两本好书，第一本是罗尔纲写的《师门辱教记》，第二本是吴晗著的《朱元璋传》。

罗尔纲是胡适的弟子。他在这位大师的家里住过几年，一面辅导胡适的两个儿子读书，一面受命抄录前人的遗集。本书记述罗氏因帮忙胡适编制《聊斋全集目录对照表》，从而学习到他老师那种一丝不苟，极其谨密的治学和考证的精神，终于成为研究太平天国的历史考证权威。罗氏后来写了不少学术文章，其中不少被胡认为证据不足，一再要他修改，使罗尔纲得到启发，成为一个真正有

① 此文剪给我的同志只记有 11 月 1 日的日子，未记年份，大约是 1982 年剪给我的。

考据精神的史学家。

胡适不只顾到成全后辈，更重"自教"，对学生亦无微不至，处处为罗氏设想，罗氏深深受老师的感动，故此到书成时命名为《师门辱教记》，表示自己得前人春风化雨，而却有辱师教、难报其情。

读这本书我们深叹今日教育界何等缺乏适之先生一般的好老师，而像罗尔纲一样的好学尊师的学生更属凤毛麟角了。①

我所见只此三篇，也许可见世人对这本小书评论的一斑吧。

三 适之师对于此书

我于 1945 年在四川李庄镇把《师门辱教记》修改后，寄到重庆独立出版社请卢吉忱（逮曾）重印。卢先生要适之师写篇序。适之师于 1948 年 8 月 3 日才在北平写的，他抄了一份寄到南京给我，在信中说我这本小小的书给他的光荣比他得

---

① 下面系评论吴晗《朱元璋传》，不录。

到 35 个名誉博士学位 ① 还要光荣。那时我觉得适之师这句话说得太重了，但后来事实表明他的话是真实的。

首先是他于 1958 年 12 月 17 日，在台北过 68 岁生日，和北京大学成立 60 周年的校庆纪念日，在 12 月 7 日晨把《师门辱教记》书名改为《师门五年记》，写了篇《后记》，亲题了书名，赶着付印，以为十日后作对贺寿人的回礼之用。胡颂平《胡适之先生年谱长编初稿》1958 年，68 岁 12 月谱记：

> 十二月十七日，今天是先生六十八岁的生日，又是北京大学成立六十周年的校庆纪念日。
>
> 中午，北大校友会在静心乐园举行校庆，同时为校长（先生还是北大的校长）祝寿。……
>
> 在这个聚餐会上致辞的，有梅贻琦、黄建中、陈大齐、朱家骅、王世杰、罗家伦等人。聚餐前全体校友向胡博士三鞠躬贺寿，会后同学会上向胡氏赠送织锦签名祝寿

---

① 胡适共有三十六个博士学位，他求学时得来的是哥伦比亚大学的哲学博士，其余三十五个，都是欧美各大学赠送的。胡颂平编著《胡适之先生年谱长编初稿》1935 年 1 月谱列有所赠各大学名。见该书第四册 1323—1325 页。

册两册。胡氏回赠校友每人一本《师门五年记》（请参阅十二月十八日《新生报》及《中央日报》）。

适之师特地赶印这本小册子作为他生日对贺寿的人回礼之用。他是怎样看待这本小小的书的，这就是最充分的最好的说明了。

适之师过生日后九天，和他的秘书胡颂平谈起这部小书。胡颂平编《胡适之先生晚年谈话录》1958 年 12 月 26 日记道：

> 今晚，先生有应酬，要胡颂平搭他的车子回台北。在车上，先生谈起《师门五年记》等于替中国公学作广告。

我受了母校的教育，希望努力做一个有用的人，哪能做得到替母校作广告呢！可是适之师竟这样说了。其后一个月，适之师又把这本小书重改重印出来。胡颂平《胡适之先生年谱长编初稿》录 1959 年 1 月 21 日适之师《复张隆延》信说：

> 隆延先生：
>
> 上月过小生日，竟劳动贵校派人来拍电影，实非我的

私愿，使我至今感觉不安，但老兄和贵校的盛意，是我十分感谢的，千万请代向当日拍照的诸位先生转致我很诚恳的谢意。

《师门五年记》已重改重印，今寄呈25册，以后如再需要，亦乞示知。

胡　适四八、一、廿一

胡颂平编《胡适之先生晚年谈话录》1959年11月17日记：

中午的饭桌上，先生谈起美人鲁道夫对于李清照的《金石录后序》的标点都点不断，还要来译英，怎么会译得出呢？非有人帮忙他，他是无法译好的。《金石录后序》里有"自王播、元载之祸"一句，《师门五年记》里已经考出，"王播"是"王涯"之误，于是关照胡颂平应该送他一本《师门五年记》。

胡颂平编著《胡适之先生年谱长编初稿》1960年12月2日记：

　　先生在报上看到王康（心健）写的《读师门辱教记》一文之后，颇疑他是靠记忆来写的，所以有些地方都记错了。如罗尔纲是中国公学毕业的，说他是北大出身；又说这本书第一版五千册，都不可信。于是决定送他一本，托人带去给他，还在扉页上题了下面的话：

　　心健先生是三十三年出这部小书的建设书局的主持人，我送他一本翻印本，表示我的感激。

　　　　　　　　　　　　胡　适四九、十二、二日

胡颂平编《胡适之先生晚年谈话录》1962 年 2 月 24 日记：

　　下午一时与出席院士共同午餐。……饭后回到住宅。……上床休息……四点十分，先生起床了。……胡颂平……问："吴健雄是中国公学的同学，送她一本《中国公学校史》吗？"先生说："好的，你送她一本。午饭时，我和他们谈起《师门五年记》；他们从外国回来的四位院士，也送他们每人一本。"①

这天下午五时，适之师宴请院士酒会。在致辞中方完，尚站着送客人，心脏病发逝世。

我这本在十天内匆匆草成的小小的册子，如果不是钱实甫先生那么热情来电追索，我写成后还搁起来不敢示人，却为适之师看重，为读者赏识，成为我写作中流传最广远的一本。杜甫诗说："文章千古事，得失寸心知。"我对我这本小册子的得失，却是连做梦也没有想到哪！

---

① 四位院士是吴大猷、吴健雄、袁家骝、刘大中四位科学家，见胡颂平编《胡适之先生年谱长编初稿》。

胡适琐记

（增补本）

罗尔纲题

一　中国公学校长

　　中国公学，滨江临海，从吴淞镇起直到炮台湾筑有一条长堤，每天潮来时，惊涛拍岸，使人有海阔天空之感。进了学校，首先使我痛快的，是不挂国民党旗，星期四上午不做国民党纪念周。学校广场走道旁，竖有许多木牌，给学生贴壁报用。那些壁报，有无党无派的，有国民党员的，有左派的，有国家主义的。胡适一视同仁，任由学生各抒所见。有一次，有张左派壁报批评胡适说苏联派代表来北京商谈成立中国共产党事，原是约他去谈的，他那天因有事去不得，改由陈独秀去接洽，后来陈独秀就成为中国共产党的领导者了。如果那天他去，说不定他会成为共产党员。这位批评者论胡适会不会做共产党员决定于他的思想，而不在于偶然的机会，胡适这种说法是错误的。这张壁报对胡适的批评是对的，但其中有许多措辞却说得太过火了，学校当局要把它撕去，胡适不准，说他提倡言论自由，就要以身作则。

胡适主持中国公学，除有关校务的重要政策须亲自参与决定外，余多不过问。他建议校董会，聘请杨亮功为副校长，驻校主持行政。他任命了总务处、教务处等部门负责人，就把权力交给他们，信任他们。胡适自兼文理学院院长。他每周星期四来校一天，重要校务，多在此时商讨。上午 10 时至 12 时，在大礼堂上大课，讲的是中国文化史。下午除继续处理校务外，还接见学生。胡适接任校长时，只有 300 名学生，一年之间，增至 1300 多人，发展很快 ① 。当时上海是各地青年远来求学的地方，大学很多。这件事，说明青年不是为混文凭而来，而是都希望接受良好的教育，也说明了胡适主持中国公学的成绩。胡适晚年多次谈到中国公学，逝世前几小时，他还把他编印的《中国公学校史》送给来见的学生吴健雄。他青年

---

① 我这段记胡适主持中国公学事，曾与副校长杨亮功《吴淞江上——我在中国公学一段办学的经历》（原载《新时代》一卷四期，此据自胡颂平编著《胡适之先生年谱长编初稿》1928 年 6 月 10 日所引）一文核对是相同的。我记胡适每周星期一来学校一次，杨亮功记是每星期四，现改从杨记。学生增加人数是据自杨记。

时是中国公学的学生，中年又担任校长，他是念念不忘他的母校的。

胡适聘请教授，兼容并包有蔡元培作风，不分派别，不限资格。以中国文学系来说，有经学家王闿运的学生马宗霍教先秦古文和许慎《说文》。有左派作家白薇教戏剧，有青年作家沈从文教小说试作，陆侃如和冯沅君教古典诗、词的考证，有郑振铎教西洋文学史等等。陆、冯、沈的年纪比我们一些同学还小。有一位60岁左右的同学，比胡适大20多岁，是高等师范毕业，教了多年中学，因仰慕胡适而来求学的。沈从文只读过小学，是胡适把他安排上大学讲座的。选他课的约有20多人，但当他第一天上课时，教室却坐满人，他在讲坛上站了10多分钟，说不出话来。突然他惊叫了一声说："我见你们人多，要哭了！"这一句古往今来堪称奇绝的老师开场白，刚刚说过，就奔流似的滔滔不绝把当代中国的文坛说了1个小时，特别对新兴作家巴金等的评述，讲得最详细。这个课程是一学年，我学写了10多篇试作，他很高兴。有一次，他在课堂上说我那些试作，如果盖了名字，会认为是郁达夫写的。我听了他的话，发我深思，我不知道我写的作品会有那样伤感。浪漫派文学的时代早已过去了，而况我人生经历那样浅薄，是不适宜于做文学工作的。我从青年起，就徘徊于做创作或做历史研究的歧路上。经过这一番深思之后，才决定走研究历史的路。6年之后，他知道我研究晚清兵制，对我说："兆和家里藏有许多淮军史料，你要用时，她写信介绍你到合肥去看。"我写《淮军志》时，虽然没有去张家看史料，但我至今还是感谢他的好意。沈从文的夫人张兆和同志也是中国公学的同学。前两年，白吉庵同志送一本他写的《胡适传》给我。我看后对他说："并无胡适介绍沈从文、张兆和结婚事。那时候和今天不同，虽然男女同学，我和张兆和同志同班，还同选过一门只有七个人选的《说文》，却从来没有说过一句话，更哪有作为校长的胡适去介绍师生恋爱！绝无此事，你去问张兆和同志看，就说是我说的。"白吉庵同志去问了。张兆和同志很幽默地笑说："报纸上有此一说。"

胡适把中国公学办得生气勃勃，整整齐齐。以前，中国公学是闹风潮的，胡适便是于1928年4月底风潮未解决时来接任校长的。他来接任后，各派学生都拥护他。学校安定了，学生才得专心潜研学问。这所大学，宁静得犹如我国古代的书院。他在中国公学培养了一些杰出人才，国际著名物理学家吴健雄便是数学系的女学生。著名史学家吴晗也在这所学校里受到史学的训练。

　　胡适于1929年5月间发表《人权与约法》和《知难行亦不易》，7月又发表《我们什么时候才可有宪法》，激怒了当局。他不愿因他个人的思想言论影响学校的立案问题，向校董会提出辞职。校董会恐怕因此引起学潮，坚决慰留再维持一个时期。胡适此时便开始筹划继任人选。到1930年5月初，胡适又向校董会重提前议。中国公学同学知道这个消息后，立即开全体学生大会，作成决议："宁可不立案，不能让胡校长辞职。"大会并派学生代表水泽柯等向校董会恳切请愿。胡适于是召集全体学生讲话，且举北平协和大学牺牲世界著名学者作校长以求立案的例子。大家感动极了，不少人流了泪。当时规定，凡私立大学不得立案的政府不承认，学生毕业后，学校发给那张毕业证书不能做资格的凭证，学生出路困难。我们同学却毫不反顾，一致决定宁可不立案，不让胡适辞职，而胡适为着学生的前途，却恳切劝慰学生。当年中国公学这一件师生关系，给胡适传记留下了一页光辉的记录。

　　胡适于1930年5月19日辞去中国公学校长，由马君武继任。马君武是胡适的老师，1906年胡适考进中国公学时便是他亲手拔取的。6月初间，我已到胡适家。那时马君武正接任，每天上午 11 时后便赶到胡适家商谈，吃了午饭回去。有一天，马君武走后，胡适对我说："马先生是孙中山同盟会的秘书长，地位很高。只是脾气不好，一言不合，就用鞋底打宋教仁的巴掌。他不肯信任人，事事要自己抓，连倒痰盂也不放心，要去看过。不肯信任人，人便不敢负责；事事自己去抓，便行不通。"果然不到一两个月，中国公学大风潮又起来了。教职员不拥护他，学生分为拥马派与倒马派，两派甚至发生了械斗。不久，马君武就被赶走了。胡适主持中国公学的领导方法，恰恰与马君武相反。看来胡适是很欣赏自己的领导方法的。

二 蜗居著作

1930 年 6 月初间，我在中国公学行过毕业典礼后，离开吴淞炮台湾母校，到了上海市胡适家，给他抄写整理其父胡铁花先生遗稿，并跟他学习考证。

胡家住的沪西极司斐尔路 49 号甲是一座小洋楼，隔壁也是一式的小洋楼。两座洋楼连在一起，只在前面用高篱笆间开，两边前面都是凉台，看来像一家。这个邻居，住的是国民党西山会议派冯自由。胡师母不出凉台，冯家妻女也不见出。胡适、冯自由却常出凉台散步，可是互不碰面，我只见他们两人在凉台上交谈过一次。当时胡适蜗伏，避免和人家碰面，人家也避开他，这是一件非常显著的事例。

胡家这座小洋楼共三层。楼下是客厅、饭厅和厨房。二楼前面是凉台。凉台后是一间大房，是胡适寝室，胡师母看书、织毛衣整天在此。第二间是胡适书房。第三间是个北房，作为我的工作室和卧室。三楼是胡适两个小儿子胡祖望、胡思杜和侄儿胡思猷、外甥程法正的寝室。思猷、法正都在上海读中学。

哪家没有亲朋应酬，我到胡家只见6月初中国公学中国文学系主任陆侃如、冯沅君夫妇赴法国留学来辞行，留饭，请了张元济来作陪。胡适广交游，当时在上海，却绝交游。他最好的朋友浙江兴业银行总经理徐新六、著名诗人徐志摩同住在上海，都没有来他家。他除有特别事离家外，都蜗伏在家，得到了充分的时间来进行撰写，使著作大量地产生。胡适自己也说：

> 从民国十六年五月我从欧洲、美国、日本回到上海，直到民国十九年十一月底我全家搬回北平，那三年半的时间，我住在上海。那是我一生最闲暇的时期，也是我最努力写作的时期，在那时期里，我写了约莫有一百万字的稿子。①

---

① 《淮南王书影印本残存序》页1，见胡颂平编著《胡适之先生年谱长编初稿》第三册，1930年11月28日记事引文。

胡适所说是从 1927 年 5 月起到 1930 年 11 月底那三年半。我所记只是 1930 年 6 月初到 11 月底那半年。但他受政治的压迫是起自 1929 年 5 月，那时他便要收敛了，到 1930 年 5 月 19 日交代了中国公学校长职务，便蜗伏起来了。胡适是因受了政治的压迫才不得不蜗伏起来的。人生际遇，祸兮，福兮，是难说的，但对胡适，却成为他著作的黄金时代。如果胡适一生都如此，他就断不会只有"上卷书"，然而也只有使他成为戴震、王引之一类的学者，而不会成为开拓一代风气的历史风云人物了。

三　胡铁花遗稿

胡铁花名传（1841—1895年），胡适的父亲。进学为秀才，乡试不售，以科考优等，得同治庚午岁贡候选儒学训导。入上海龙门书院，与袁昶、张焕纶等同学，治词章义理及三礼经济之学，尤喜舆地，关心边疆形势，立志游四方。光绪七年（1881年），他拿着一封介绍信径投在吉林宁古塔（今牡丹江市的宁安）防边的三品卿衔吴大澂军营，请求给予通行文书，准他遍历黑水白山，考察地理。吴大澂奇其人，说："绝塞千里无人烟，你孤身何以游历，宜留我营图之。"乃遍历乜河、三姓、珲春等处，逴骑抓犁，走牡丹江冰上千余里。所至延老兵，访扼塞，证旧图谬误，对东北边防取得了真知灼见。当时沙俄并不因割占乌苏里江以东我国领土而停止侵略，仍继续侵吞蚕食新界中国一侧的领土，其中珲春的黑顶子尤为战略要地。光绪九年（1883年）正月，胡传奉命由瑚布图河历老松岭赴珲春与俄国官员廓米萨尔会勘边界，途中遇大雪，失道窝棘（译言老林）中，绝粮三日。后来，忽有所悟，想到山涧多是流向森林外面去的，就和随从人员分头去找山涧，一条山涧找到了，于是顺流而行，才走出老林。这个故事，40年后，胡适在论《杜威系统思想说》的一篇论文里，用来作为实例。光绪十一年（1885年），经过全力以赴、百折不挠的抗争，终于把黑顶子地区收回，遂据咸丰十一年（1861年）旧界图立碑五座，建铜柱，吴大澂篆铭其上："疆域有表国有维，此柱可立不可移。"光绪十二年（1886年），胡传因母丧返里，才离开东北。吴大澂旋擢广东巡抚，胡传前往广州。吴大澂与两广总督张之洞会衔委任他在广东差遣。光绪十四年（1888年）郑州黄河再决，吴大澂调为河道总督，胡传又随往办河工。这年冬，河工合龙，吴大澂以异常出力奏保，得旨以直隶州知州分省补用。光绪十六年（1890年）赴部，签分江苏。六月，奉委办苏垣水陆总巡保甲局。光绪十七年（1891年），调充省城中路保甲总巡。夏，调任淞沪厘卡总巡。十一月，台湾巡抚邵友濂奏调，奉旨发往台湾委用。十二月，江苏巡抚刚毅奏留，奉旨台湾差遣需人，着遵前旨。光绪十八年（1892年）

春赴台湾，充全台营务总巡。九月，委赴台南提调盐务处总局。光绪十九年（1893年）委代理台东直隶州知州，六月，委兼统镇海后军各营屯。光绪二十年（1894年），补授台东直隶州知州。中日战争爆发，中国战败。光绪二十一年（1895年）三月，清廷签订《马关条约》，将台湾割给日本，命令官员归国。他奉到诏旨后始离台东州。总兵刘永福坚持抗日，请胡传帮助。时胡传已病重，直到双脚都不能动，六月二十五日始舁上船。六月二十八日到厦门，手足俱不能动了。七月初三日死于厦门。①

胡传一生，东北到了吉林边境，南到海南岛，东到台湾。他是个精研地理学的人，足迹所至，对地图多所订正。他又是个精干廉明的人，光绪间，中俄交涉、黄河河工、中日战争诸役，他都身预其役。而在广东时往海南岛检阅军营，勘察黎峒，前往澳门审查葡萄牙侵占，北往韶关，西往梧州考察关税，在江苏时

---

① 石原皋《闲话胡适》说胡传在台湾战场上牺牲，遗骸已无头。案胡传在遗嘱里说："今朝廷已弃台湾，诏臣民内渡。予守后山，地辟而远，闻命独迟。"后来他临危舁上船，死于厦门，历历可考，并无战死疆场的事。文化大革命时，胡传墓被发掘，胡适侄孙胡育凯亲见实有头，作了证实。（见1988年12月10日《人民日报》海外版白吉庵《胡适家乡访问记》。）

办理保甲、厘金，在台湾时，巡视全台军政，提调台南盐务，都身任要务。所有担任，都有文书报告政府，并有日记详记其事。对时人咨询，复有函牍答复。故《胡铁花遗稿》，乃光绪间一部有关边疆的、内政的、军政的、河工的重要史料和考证舆地的论文。只有些舆地论文和答复时人咨询的函件，曾被收入《皇朝经世续编》、《新增经世文编》、《舆地丛钞》等书外，其全部遗稿都存在家中。

《胡铁花遗稿》就内容分类，可分为年谱、文集、诗集、申禀、书启、日记6种，约有80万字。要整理这部巨著不是一件容易的事，首先就是抄录问题。因为这一堆草稿，不但写得很潦草，而且改来改去，东涂西抹，又左添右补，十分难认，再加上年久破损，更是难上加难。胡适曾经几次请人抄录，都没有做得下去。到我来了，便交给我去做。我拿起笔来也是抄不下去的。后来我先把那些草稿细看，看了几天，认识了他的字体，摸出他的语法。又看出他把同一事件分别记在各项草稿中的情况，得出互相核对以解决问题的工作方法。于是才开始抄录整理，从1930年6月做起，到1931年3月始成。

《胡铁花遗稿》中的台湾部分，已于1951年台湾省文献委员会出版，取名《台湾纪录两种》。

臺灣稟啟存稿三卷

胡傳著

羅爾綱
胡適 校編

胡适手书《台湾禀启存稿》书影，此书系胡适、罗尔纲合校编的胡传著《台湾纪录两种》之一（台湾省文献委员会1951年印行）

四　名医陆仲安

陆仲安是一位著名的中医。1920年胡适患肾炎，西医医治无效。请陆仲安诊治。陆处方以黄芪四两，党参三两为主，分量特别重，把胡适的病治好，成了大名。

1930年夏秋，胡适在上海生了几次病。当时陆仲安是上海最红的医师。胡适得病，都由一位熟识的西医先诊断过了，然后打电话请陆仲安来用中药医治。陆都是赶着前来的。胡适住房小，汽车开不进来，车停在门前，保镖的白俄就拿手枪守卫。那时我屡发疟疾，胡适看了病后，也请陆仲安给我诊治。厨子、女佣感暑，胡适同样请陆仲安诊治。陆仲安因为治好胡适，声名大振，走了红运，他感激胡适，比胡适感激他还大。我很佩服他对胡适的义气，否则像他这样红的医师，断没有每次一接电话就赶着来的，连我们这些附带看的人，也一团和气，悉心诊治。

胡适患肾炎时，既没有抗生素，更没有激素，西医对这个病束手无法，中医陆仲安居然把他医愈，是一件盛传社会的大事。胡适在1921年3月30日《题陆仲安秋室研经图》记说：

> 林琴南先生的文学见解，我是不能完全赞同的。但我对于陆仲安先生的佩服与感谢，却完全与林先生一样。
>
> 我自去年秋间得病，我的朋友学西医的，或说是心脏病，或说是肾脏炎，他们用药，虽也有点功效，总不能完全治好。后来幸得马幼渔先生介绍我给陆仲安先生诊看。陆先生有时也曾用过黄芪十两，党参六两，许多人看了，摇头吐舌，但我的病现在竟好了。
>
> 去年幼渔的令弟隅卿患水鼓，肿至肚腹以上，西医已束手无法，后来头面都肿，两眼几不能睁开，他家里才去请陆先生去看。陆先生用参芪为主，逐渐增到参芪各十两，别的各味分量也不轻，不多日，肿渐消灭，便溺里的蛋白质也没有了。不上百天，隅卿的病也好了，人也胖了。
>
> 隅卿和我的病，颇引起西医的注意，现在已有人想把黄芪化验出来，看他的成份究竟是些什么？何以有这样大的功效？如果化验的结果，能使世界的医学者渐渐了解中

国医药学的真价值，这岂不是陆先生的大贡献吗？

我看了林先生这幅《秋室研经图》，心里想像将来的无数《试验室研经图》，绘着许多医学者在化学试验室里，穿着漆布的围裙，拿着玻璃的管子，在那里作化学的分析，锅子里煮的中国药，桌子上翻开着：《本草》、《千金方》、《外台秘要》一类的古医学，我盼望陆先生和我都能看见这一日。（芝翁《古春风楼琐记》引）

（马幼渔，马裕藻字，其弟马隅卿名廉，都是当时北京大学教授。）关于陆仲安医治胡适的经过，当时有名的西医俞凤宾曾有简明扼要的记载，郭若定编著《汉药新觉》上集第五篇记黄芪后，附录其全文如下：

附录　俞凤宾博士《记黄耆治愈糖尿病方药》一文云："胡适之先生，患肾脏病，尿中含蛋白质，腿部肿痛，在京中延西医诊治无效，某西医告以同样之症，曾服中药而愈，乃延中医陆君处方，数月痊愈。处方如下：

生绵芪四两　　潞党参三两

炒于术六钱　　杭白芍三钱

山萸肉六钱　　川牛膝三钱

法半夏三钱　　酒炒苓三钱

云伏苓三钱　　福泽泻三钱

宣木瓜三钱　　生姜二片

炙甘草二钱

此系民国九年十一月十八日初诊，治至十年二月二十一日止之药方。"（《中医季刊》五卷三号九二页）

据这个处方看，大约是取法金代名医李东垣（名果）《补中益气汤》。此方以黄芪、党参为主药，主治脾胃虚弱以及气虚下陷引起的胃下垂、肾下垂、子宫脱垂、脱肛等症。历代医师多用其方。清朝乾隆嘉庆人汪辉祖在《病榻梦痕录》记得中风，医师重用黄芪、党参治愈说："得良医张上舍树堂（应椿）专主补气，每剂黄芪四两、上党参三两，附子八钱，他称是，重逾一斤五六两，见者惊其胆。然服之两月余，食饮日加，右手渐能执笔。初医者狃于治风先治血之说，重用地黄，痰湿日增。微树堂，病几积重。"乾嘉学派著名学者钱大昕患痿脾症，亦用东垣《补中益气汤》治好。他在《敬亭弟墓志铭》记其事说："岁甲辰，予忽患痿脾，腰以下麻木不仁。亟延敬亭诊之，曰：'此脾阴下陷，当用东垣补中益气汤。'如其言服之数剂渐瘥。半月后已能行矣。"（见《潜研堂文集》卷四十八）陆仲安医胡适重用黄芪至四两，党参至三两，竟与124年前张应椿医治汪辉祖相同，可知陆仲安不但精研我国古医书，并博览到古代年谱、文集，林琴南绘他的《陆仲安秋室研经图》确是写实，不是虚构的。

胡适到了晚年，有两封复信谈到陆仲安医治他的事。一封是1954年4月12日《复余序洋》说：

> 你看见一本医书上说，我曾患糖尿病，经陆仲安医好，其药方为黄芪四两……等等。
>
> 我也曾见此说，也收到朋友此信，问我同样的问题。其实我一生没有得过糖尿病，当然，没有陆仲安治愈我的糖尿病的事。
>
> 陆仲安是一位颇读古医方的中医，我同他颇相熟。曾见他治愈朋友的急性肾脏炎，药方中用黄芪四两，党参三两，白术八钱。（慢性肾脏炎是无法治的，急性肾脏炎，则西医也能疗。）但我从没有听见陆君说他有治糖尿病的方子。

106

造此谣言的中医，从不问我一声，也不问陆仲安，竟笔之于书，此事真使我愤怒！①

另一封是1961年八月初三日《复沈某》说：

急性肾脏炎，我的朋友中有人患过，或用西法，或用中药，均得治愈。

慢性肾脏炎，友人中患者，如牛惠生，如俞凤宾，皆是有名的西医，皆无法治疗，虽有人传说中医有方治此病，又有人传说我曾患慢性肾脏炎，为中医治好，——其实都不足信。大概慢性肾脏炎至今似尚未有特效药。

在三十多年前，我曾有小病，有一位学西医的朋友，疑是慢性肾脏炎，后来始知此友的诊断不确。如果我患的真是此病，我不会有三四十年的活动能力了。我并未患过此病。②

———————————

① 见胡颂平编《胡适之先生年谱长编初稿》第七册。案此书录漏了"无法治的，急性肾脏炎"几字，兹据收在《胡适之纪念集》中余序洋《哀悼胡适之先生》一文录补。
② 见胡颂平编著《胡适之先生年谱初编》第十册。

胡适又有一次答他的秘书胡颂平问。胡颂平编著《胡适之先生年谱长编初稿》第十册1961年4月5日记事道：

> 这两天《民族晚报》上连载《国父北上逝世》一文，记载先生在民国九年曾患糖尿病。服了陆仲安的中药才好的。胡颂平问："先生有没有吃过陆仲安的中药？"先生说："陆仲安是我的朋友，偶曾吃过他的药；但我没有害过糖尿病，也没有吃过糖尿病的药。他开的药方，被人收在一本好像是什么《药物大辞典》里。最近《作品》杂志上有一篇《郁达夫和胡适先生》，完全是瞎说。"

胡适明明是患肾炎，西医束手无法，后来是中医陆仲安医好。胡适却说是医好他的朋友。又说慢性肾脏炎是无法治的，急性肾脏炎西医也能疗，他朋友得的是急性肾脏炎。胡适为什么说假话呢？俞凤宾的记载标题是《记黄耆治愈糖尿症方药》内容是记陆仲安医治胡适肾脏病的处方。此处系据转引文，感到费解。那位中医竟认为是陆仲安医好胡适糖尿病。这是误会，何致斥为"造此谣言"，使他"甚愤怒"？其实，胡适当年给陆仲安医好时就是这种态度，并非到晚年才如此。他于1921

年 3 月 30 日写的《题陆仲安秋室研经图》说西医治病用的药"虽也有点功效，总不能完全治好"，然后才轻描淡写陆仲安医好他的病。可是，同在一篇文章中，叙述马隅卿水鼓（腹水，也叫水膨胀）就完全不同了，说"隅卿患水鼓，肿至肚腹以上，西医已束手无法。后来头面都肿，两眼几不能睁开"，请了陆仲安来医治好了。还有这篇文章不收入《胡适文存》内，是胡适逝世后，他的秘书胡颂平编《年谱》时才在芝翁《古春风楼琐记》里找到的。这就可见胡适在开始时对陆仲安医好他肾脏炎一事，就有所隐讳，并非到晚年才说假话的。

胡适最恨人说假话。他为什么自己反说假话呢？这是因为他主张"充分世界化"，主张科学。他认为中医不科学，他患肾脏炎，西医束手无法，而中医陆仲安居然医好他，社会盛传，发生了不信西医的倾向。胡适怕对科学的发展有害，所以才不得不这样说的。

五　胡适与王云五

1931年夏一个星期天的午餐后，汪原放来在北平。胡适和我们谈他推荐王云五入商务印书馆以自代事。胡适说王云五在孙中山做临时大总统时，曾当过部长。当时王云五正在商务印书馆附近为一个小规模的公民书局主编公民丛书，他立志要打倒那时候全国最大的出版机关商务印书馆。

那时是1921年。这年4月，商务印书馆编辑主任高梦旦来北京，屡次来劝胡适辞去北京大学教授，到商务印书馆去办编辑部。因为近年时势所趋，他觉得不胜任，故要胡适去代他的位置，说："我们那边缺乏一个眼睛，我们盼望你来做我们的眼睛。"高梦旦的话，使胡适深受感动，答应夏天到上海商务印书馆去住一两个月，看看里面的工作，并且看看自己配不配受高梦旦的付托。7月16日他到上海去，在上海住了45天，天天到商务印书馆编译所去。高梦旦每天把编译所各部分的工作指示给他看，把所中同事介绍和他谈话，他研究结果，深切认识到自己的性情和训练都不配做这件工作，辞谢了高梦旦。高梦旦问胡适有谁可任这事。胡适推荐了王云五可胜任此职。高梦旦自命为随时留意人才的，竟不曾听过这个名字。但他是很信仰胡适的，就请王云五继他的任。

王云五（1888—1979年）是胡适的老师。胡适在《四十自述》里说："我在中国公学两年，受姚康侯和王云五两先生的影响很大，他们都最注重文法上的分析，所以我那时虽不大能说英国话，却喜欢分析文法的结构，尤其喜欢拿中国文法来做比较。"1910年2月，王云五荐胡适到华童公学教国文，胡适在日记里说："事成始见告，其意至可感念也。"① 当时王云五看见胡适处在"藏垢纳污"的环境，"力劝迁居"。② 又劝他以课余时间多译小说，限日译千字，则每月可得五六十元，且可以增进学识。③ 那时候，胡适结识了一班浪漫的朋友，

---

① 《藏晖室日记》庚戌（1910年）第一册，正月初三日，见中华书局出版《胡适的日记》上第10页。

② 《藏晖室日记》己酉（1910年）第五册，12月14日，同上书第1页。

③ 《藏晖室日记》庚戌第一册，见同上书第13页。

跟着他们堕落了。从打牌到喝酒，从喝酒又到叫局，从叫局到花酒，不到两个月都学会了。① 他们天天在昏天黑地里胡混，有时整天的打牌，有时连日的大醉。有一个晚上，他们在一家"堂子"里吃酒，喝的不少了，出来又到一家去"打茶围"，胡适已喝得大醉，出门上车后就睡着了，第二天醒来，已关在巡捕房里。他被开堂审问，罚了五元，放了出来。回到家中，在镜子里看见脸上的伤痕，和浑身的泥湿，他忍不住叹一口气，想起"天生我材必有用"的诗句，心里百分懊悔，觉得对不住他的慈母，他懊悔了，觉悟了！当天在床上就写信辞去了华童公学的职务，因为他觉得他的行为玷辱了那间学校的名誉。

那一年（庚戌，1910 年）是考试留美赔款官费的第二年。他决定关起门来预备去应考试。② 王云五又"特意为他补习了三个月大代数和解析几何"③。王云五就是如此地爱护胡适。论者称："如果当时不是王云五等人的竭诚规劝，大力

---

① 胡适《四十自述》。
② 据胡适《四十自述》。
③ 据杨亮功《胡适与中国公学》。

帮助，使之悬崖勒马，迷途知返，选择了出国留学的道路，那么，其结果将是不堪设想！就这点说胡适视王云五为恩师是理所当然的。难怪胡适成为饮誉寰宇的学者之后，仍然对他毕恭毕敬，铭感不已。"① 这个评论，是确当的。

王云五到了 1930 年担任商务印书馆总经理。他在要实行"科学管理法"时，遭到多方面反对，胡适这时立刻去信劝慰他并为他建议对策说：

云五先生：

今天见报纸所载，知前日我的戏言大有成为事实之势，你竟成了"社会之公敌"，阔哉！阔哉！

我很盼望你不要因此趋向固执的态度。凡改革之际，总有阻力，似可用"满天讨价，就地还钱"之法，充分与大众商量，得一寸便是一寸的进步，得一尺便是一尺的进步，及其信用已著，威权已立，改革自然顺利。这个国家是个最 individualistic〔个人主义的〕的国家，渐进则易

① 黄艾仁《殊途同归话心迹——王云五与胡适的师生关系》的评论，见所著《胡适与中国名人》。

收功，急进则多阻力；商量之法似迁缓而实最快捷，似不
妨暂时迁就也。

适　之廿、一、21 ①

据王云五的知己徐有守在《王云五先生与中国出版事业》中
说：1931 年当有人竭力反对实施科学管理时，"王云五先生恪
于情势，乃将计划化整为零，分项逐一实施"，他"常极能盱
衡各方不同之需要，而作成兼筹并顾及允执厥中之决定"。显
然这是王云五改变其"趋向固执的态度"而采取胡适所提出
的渐进、迁缓的做法，终于有计划有步骤地实行了科学管理，
使商务印书馆成为全国出版界的巨擘。其出版规模之大，数量
之多，销售之广，不仅国内同行所望尘莫及，也堪与世界出版
巨商媲美。从此，"日出一书"的商务印书馆与王云五的声
誉，与日俱增。

　　50 年代，胡适寄居美国，他回台湾任中央研究院长即由
王云五的力劝。王云五《访美日记》1957 年 11 月 19 日记道：

---

① 见中华书局出版的《胡适来往书信选》中册，第 41 页。

下午三时赴适之寓所长谈，至五时半始离去。适之因余对台湾情形认识较真切，殷殷以其行止相询，余略有建议，均承接受。先复电，暂以李济之代理（中央研究院长），得复允，再派杨树人为总干事，至其本人则于检验身体，并促劝留美院士若干人同返台，然后回台接任，并即召开院士会议。

因为当时台湾存在着一股"反胡"的势力，如果不是王云五的力劝，胡适是不愿回来这个纷扰的孤岛的。这可见胡适对王云五的信赖与尊重。

1962年胡适逝世后不久，王云五在《自撰年谱初稿》中，写下了一段哀悼：

适之与我由学生而至交，与朱经农之与我相若。适之名满天下，学生亦名满天下，而数十年来，迄于逝世前一星期，无论口头或书面，无不称呼我为老师。在我的生涯中，最大部分消磨于商务书馆之任务，然推荐我商务书馆当局者实为适之。适之于四十七年自美返台以后，其言论行动辄与我商量，亦多受我的影响，即其回国就中央研究院长职务，亦由于我的力劝。因此，彼此间之关系实甚深切。其致我最后一函系本年二月十七日所写，其中尚有询我何时有暇，想过来一谈，不料遽尔永诀，哲人其萎，至堪痛惜！

到1979年王云五以92岁高龄逝世后，后人在《王云五先生墓志铭》上，也深深地铭刻着他与胡适的关系道：

民国十年先生经其中国学生胡适之推荐出任商务印书馆编译所长，自是与商务结不解缘，自壮至死，凡四十年心血尽注商务。①

胡适与王云五生死不渝的师生关系，在上面两段文献中都概括了。

---

① 本文写成多年，1993年12月得读黄艾仁同志著《胡适与中国名人》中《殊途同归话心迹——王云五与胡适的师生关系》一文，加以补充，特此致谢！

六 梅博士拜谢胡博士

7月的一天，下午2时后，突然听到一阵楼梯急跑声，我正在惊疑间，胡思杜跑入我房间来叫："先生，快下楼，梅兰芳来了！"他把我拉了下楼，胡思猷、程法正、胡祖望、厨子、女佣都早已挤在客厅后房窥望。思杜立即要厨子把他高高托起来张望。我也站在人堆里去望。只见梅兰芳毕恭毕敬，胡适笑容满面，宾主正在乐融融地交谈着。

这一天，梅兰芳是在美国演出得了博士专诚来拜谢胡适的。他在准备到美国去演出以前，邀请胡适去看他的戏，替他选定哪几出戏可以在美国演唱，哪几出戏不适宜在美国演唱的。现在演出成功了，所以特地来拜谢胡适。

梅兰芳的到来，给这个亲朋断绝的蜗居家庭带来了一阵欢乐。

七 从沪迁平

　　胡适辞去中国公学校长后，他做了回北平的预备，主持中华教育文化基金董事会的编译委员会，并就北京大学文学院长的兼职，1930 年 11 月 28 日，全家从上海迁北平。我随行。人们认为特务会在车站狙击胡适。我这个书呆子却睡在梦里。

　　这天上午八时，我随胡适全家乘出租汽车从极司菲尔路到了上海火车北站。到了车站，胡适提了一个大皮箱，我也给他提了一个大皮箱，胡师母小脚，走路已不方便，要拿两天车上用的衣物，祖望也拿了一些。胡家有侄儿胡思猷、外甥程法正都是年轻力壮的，衣箱应该由他们提的，胡适却不要他们送车。这是一件非常不近情理的事。但我当时却没有感觉。我跟胡适行入车站，走上月台，满以为胡适广交游，徽州亲戚也不少，今天月台一定站满亲朋来送行的。谁知半个影子都没有。

为什么亲朋满上海的胡适今天一个人都不来送行呢？我心里才嘀咕着。已经走到头等车厢，胡适看着他两个儿子和胡师母上了车，正踏上车梯，我忽然听到对面那边月台上有人大叫："胡校长！胡校长！"我和胡适都掉转头来望，只见一个中国公学同学，边跑来边说："学生会派我来作代表送行，请胡校长等一等，要照个相。"原来那位同学在车厢对面那边月台上远远躲着，等候胡适到来，见胡适踏上车梯才喊叫。他跑近了，匆匆把照相机对着胡适拍了照，就立刻飞魂落魄地跑出了月台。这时我才明白到今天究竟是怎么一个场合！

胡适夫妻住头等房，我和胡祖望、胡思杜住二等房。二等房四个床位。上车后，入了房间，我们三人各睡一铺。过一刻，两个挂盒子炮的军人闯进房，把胡思杜吆喝起来，各占了一铺。胡祖望走去头等车厢告知胡适。胡适找到车厢长一同前来。车厢长向那军人取车票看。睡在下架那个立刻起来，大声说："老子没有票！"车厢长讲："我给你们补票。这个房间只空一个床位，另一位请同我去另一间房。"那军人把盒子炮壳拍了一下，更加凶神猛鬼狰狞地厉声说："老子要在这间！"胡适站在车厢长后面，先走了，车厢长也走了。当时平沪铁路是国际通车，秩序很好，绝无北洋军阀时代军人坐霸王车的情况。苏州车站就有宪兵队，假如真有此事，车到苏州时，就一定拉下去惩治的。这两家伙，不佩襟章，在车上一声不吭，到黄昏车抵南京车站时，就溜走了，这分明是向胡适挑衅。今天的险恶，别人知道，胡适更知道。所以他不要年轻力壮的侄儿和外甥送车拿行李，他平时本来是极恨横暴的，此刻却能低头忍受。当时只要他吭一声，横祸便要临头了。

在车上两天多。第三天近午火车到了北平，我又满以为北平情况总会比上海不同吧。胡适是中华教育文化基金董事会的负责人和北京大学文学院院长，这两个单位肯定有人来迎接。与胡适师生关系极好的中央研究院历史语言研究所所长傅斯年便在北平，也一定要来迎接的。谁料车进了站，同样连影子都没有。只见胡适的堂弟胡成之跑上车来，匆匆说，汽车已经雇好了。他把我们领到车站外汽车边，也立刻走开了。

胡适新居在地安门内米粮库四号，傅斯年住米粮库一号。胡适到家洗了脸，就带领全家和我去傅家吃午饭。原来傅斯年已办好丰盛的午宴，正在家中恭迎胡适哩。我在席上，想到前天如果真的狙击胡适了，我跟着胡适行，我也牺牲了，我如何对得住青春守寡了12年，才抱养得我抚育成人的老母亲，两眼发花，心里发酸，和泪咽了下去。

　　九·一八事变后国难当头，胡适为文化界领袖，国民党政府改变了对他的策略。四年后的冬天，他南游两广，经上海归来，我随胡师母去接他。只见车站外早已停满汽车，月台上站满了迎接的人群，他们比家属还来得早哪。过了一刻，火车才慢慢进站。车一停，就有人箭步上车去给胡适提公事包。这情景，使当年车站上那种阴森、险恶、恐怖的往事，立刻闪电般重现在我的眼前。我心底所感受的刺激，绝不是历史上所记载的那些什么"世态炎凉"的人情世故所能仿佛于万一的！

八　迁平后每天时间表

米粮库四号是一座宽绰的大洋楼。洋楼前是一个很大的庭院，有树木，有花圃，有散步的广场。庭院的左边是汽车间。从大门到洋楼前是一条长长的路。从洋楼向右转入后院，是厨房和锅炉间，还有一带空地，空地后面是土丘，土丘外是围墙。走上土丘可以瞭望。洋楼共三层，一楼入门处作客人挂衣帽间，进入屋内，左边是客厅，右边是餐厅。客厅背后很大，作为进入大厅的过道，亚东图书馆来编胡适著作的人住和工作都在这里，汪原放来也住在这里。从那里向东就进入大厅。这个大厅高广宽阔，原来大约是一个大跳舞厅，胡适用来作藏书室。大厅的南面，是一间长方形的房，是胡适的书房。书房东头开一小门过一小过道，又开一小门出庭院，以便胡适散步。大厅北面有一间房，作为我的工作室和寝室。这间房西面开一门通后院，我工作疲倦时，常出后院走上小丘，登临眺望。二楼向南最大的一间房是胡适胡师母的寝室，另有几间房是胡祖望、胡思杜的寝室。徐志摩来住在楼上。1934年我再来北平，已先把寝室在楼上布置好。我在胡家5年，只见徐志摩住过楼上，石原皋《闲话胡适》说这时期什么人住过胡适家绝非事实。楼上有两间浴室、卫生间，胡适胡师母用一间，我和胡祖望、胡思杜用一间。三楼我没有上过，女佣杨妈住在上面。家中用门房一人，厨子一人，打扫杂役两人，女佣一人，司机一人。胡师母与在上海蜗居时不同了，每天上午都在管理家务，下午2时去亲朋家打麻将，晚10时汽车接她回家，才去接胡适。胡适住在米粮库这个家，比抗战胜利后他住在那座曾作为大总统黎元洪府邸时东厂胡同一号舒服得多哪。

胡适到北平住进这个家后与蜗伏上海时完全不同了。可以说他过的是社会活动家的生活。他每天的生活如下安排。上午7时起床，7时40分去北京大学上班。中午回家吃午餐。下午1时40分去中华教育文化基金董事会上班。晚餐在外面吃。晚11时回家。到家即入书房，至次晨2时才睡觉。他每晚睡5小时，午餐后睡1小时。我因为常失眠，心里以为苦，他教诲我说："每天一定要睡8小时，那是迷信。拿破仑每天只睡6小时。"

他说拿破仑，其实他自己就是如此。这是每天的生活，星期天不同，上午 8 时到 12 时在家中客厅做礼拜。他的礼拜不是向耶稣祈祷，而是接见那些要见他的不认识的人。凡已见过的不再见。他是不分品类，一视同仁，有耶稣的作风，称为做礼拜，是有取义的。礼拜天下午在家做工作，不接见人，但傅斯年却例外，经常在这个时候来倾谈。礼拜天晚餐同样是在外面吃，也是到了夜 11 时才回家。

胡适每天下午是 6 时下班，到 11 时共 5 小时。他在什么地方晚餐，晚上和什么人聚会，我没有打听过。但有一点却是清楚的，这 5 小时，是胡适一天最快乐的时候，他交际在此，娱乐在此。他不打麻将不跳舞，不看电影，不听京戏，他做什么娱乐呢？他喜欢倾谈，那他的娱乐就是倾谈吧。

胡适每天的时间排得密密麻麻如此，他的生活是铁定不移的。根据这个情况，胡适只有成为一个社会活动家，而不可能成为学者。他在上海时，已把《中国哲学史》接续写下去，油印装订成册。到北京后就没有时间修改，更没有时间继续写下去了。

九　藏　书

　　到北平后，胡适叫我做的第一件工作，是开书箱，把书取出来安排在书架上。先摆书架，客厅后过道大约摆3架，大厅把书架围成书城，胡适书房也摆3架，总共约20架。

　　胡适每天指点我摆书。把书摆好了，他就可以随手取阅。他没有叫我编目，却叫我要本本都检阅过，凡没有写书头的，都要补上，以便一眼就看清楚。胡适记性非常好，哪一部书放在哪一架哪一格都记得清清楚楚，全部的书目都在他的脑中。书房那3架是空架，留作放手头用书，迁平后在北平7年，逐渐买的书就放在那里。

　　许多人都问过我胡适的藏书，我说除预备写中国哲学史的书外都缺乏，他们都感到奇怪。石原皋《闲话胡适》记胡适的藏书说："研究学问的人都爱藏书，胡适更甚，他的藏书很多，约有 40 书架。"不是事实。他预备写中国哲学史的书确是很多的，《道藏》就有一部，连在清代不算著名的经学家王闿运的丛书都收有。但是文史的书却很缺乏了，史部只有一部殿本廿四史，编年类《资治通鉴》、政书类《文献通考》等一本都没有，却例外竟有一本《大清律例》，那是他研究《红楼梦》时特地买的。文集部连《昭明文选》、《杜工部集》、《苏东坡集》都没有。他做《醒世姻缘传考证》有一条很重要的证据系鲍廷博说蒲松龄是《醒世姻缘传》的著者。这条证据，他是从邓之诚《骨董琐记》看见，写信去问邓见于何书，邓回信说已记不得了。这条证据是见于《昭代丛书》癸集杨复吉的《梦阑琐笔》的，到我回广西，才从我父亲的书中找到寄给他。胡适很重视清末小说家吴沃尧的著作，他论吴沃尧的《九命奇冤》是中国小说史上一部划时代的著作。但他却没有李葭荣《我佛山人传》①和吴沃尧《李伯元传》这两篇重要传记，也是我从我父亲的书中找到寄给他的。1931 年冬，我在广西开始研究太平天国史，便是得到我父亲的书才能工作的，

---

① 吴沃尧，广东省南海县佛山镇人。李葭荣这篇《我佛山人传》，就是吴沃尧传。

但到 1934 年春重来北平时，在胡适家中要继续研究，却一本都没有。从我所经历的情况，具体地说明了胡适文史书籍的缺乏。① 1923 年 3 月，胡适应清华即将留学的几位学生之请，开了《一个最低限度的国学书目》，列有《九命奇冤》小说，而没有《资治通鉴》。梁启超见了，以为"岂非笑话"。梁启超还不知道在胡适的藏书中并没有《资治通鉴》哩。胡适在老家中当童年时便看了《资治通鉴》，在此书所记范缜《神灭论》，使他成了一个无神论者。但他却没有购买这部书。

胡适不用卡片，他看过的书籍凡有用的地方，都用红、黄、蓝三色纸条夹在那里，到了要用时，一翻就得。有一次，那是 1934 年秋天，我写成《水浒传与天地会》那篇论文后，送去请他看。他看完后，带我出大厅靠东边一个书架，他举手把放在架上那套《大清律例》取下来，抽出一册，在有蓝纸条夹的地方翻开，就指出一条史料叫我加上，说："你据《贵县修志局发现的天地会文件》说天地会以反清复明为宗旨，成立于康熙初年甲寅（1674 年），还须有坚强有力的证据为之证

---

① 我于 1943 年写的《师门辱教记》说胡适藏书丰富。只指胡适所藏为研究中国哲学史应用的书籍来说的，当时没有说明那是疏漏的。

明。这条康熙年间定的严禁异姓歃血订盟焚表结拜弟兄的律例，便能证明天地会确实成立于康熙初年，你把它加上去。"我照他的指示加了上去才发表。几十年来都推翻不了，到 70 年代，台湾学者根据新发现的资料已完全证实。胡适不用卡片，只用三色纸条就能记牢，这已经奇了。他没有研究过天地会，他翻阅《大清律例》来研究《红楼梦》时，却能注意到与他研究无关的事件，并且已隔十多年，还能牢牢地记着它，这就更难于理解了。胡适的天赋卓绝，这又是一个具体的事例。

胡适不求藏书，更不谈版本，他只是为他的应用而买书的。但他却藏有一部明刻本《欢喜冤家》，已经破损了，书贾用最好的纸张把它装裱起来。胡适把它锁在书房藏要件的高柜内，秘不示人。有一天，我正在过道的书架理书，忽然，外面走进一个人，我还未见人，就闻大声嚷："适之！适之！你有好书不给我看！"胡适听闻了，在书房里哈哈大笑。我看这人，就是胡适好朋友赵元任的夫人杨步伟。"好书"，便是这部《欢喜冤家》。曾经帮助过胡适做《醒世姻缘传考证》，以研究中国古典小说著名的学者孙楷第，在他所著的《中国通俗小说书目》（据 1981 年人民文学出版社补充本）《欢喜冤家》条里还说未见明刻本，可知孙楷第也不曾得见过胡适这部藏书呢。

十 徐志摩在胡适家

　　徐志摩就任北京大学教授，于 1931 年 1 月 4 日到北平，住在胡适家。他最忙的工作是编《新月》，还给出版单位审阅译稿。他除上课外，整天在家工作。出我意外，想不到这个蜚声文坛的大诗人竟与书呆子相类。那时傅斯年还不曾和俞大綵结婚，晚上无聊，见汪原放来在胡适家，几乎每晚都来和我们打麻将，徐志摩从来不参加。可是石原皋《闲话胡适》记徐志摩事竟说："徐志摩任北大英文教授，陆小曼在上海，他单身在北京，住在胡家。与徐志摩同住在胡家中的，还有王徽（当时任平汉铁路局局长），他俩终日无事，找人打牌。徐恃其聪明，不勤于读，却是风流倜傥，有诗人的雅兴。那些日子，我不常去胡家，怕其三缺一，拉我打牌。"其实并无王徽与徐志摩同住胡家的事。我们夜夜打麻将，徐志摩连看都没有来看过，更哪有要拉人打麻将的事！徐志摩整天工作，却说他终日无事，自恃聪明，不勤于读。徐志摩温文尔雅，却说他风流倜傥。那是把徐志摩的形象都歪曲了。

徐志摩初来时，胡适吩咐我说："徐先生工作忙，我建议他每天下午去北海公园散步休息。你陪他去。"米粮库离北海公园后门很近。第二天下午五时，徐志摩就到我房间来约我去。此后，除非下雨，没有一天不去。到公园就是散步，不饮茶，不划船，也不坐那些为休息预备的长椅。那时，北平是冷落的故都，公园游人稀少。我们每天享受公园的幽静，清风吹拂的愉快。徐志摩去公园散步很少说话。有一次，游罢出了后门。有个老妇叫化子向他乞讨。他就站着，详细问她什么地方人，家中有无子女，因何流落到北平来等等。他和那老妇叫化子絮絮谈话，恳切有如亲人。随后把袋里的钱都给了她，还在沉思迟迟不走，回家吃晚饭的时间都忘记了。他想什么，当不只是那老乞妇的问题，而是由于她引起对社会宇宙的沉思。我静静站在旁边，使我如同读杜甫《茅屋为秋风所破歌》时那样感受到大诗人悲天悯人的爱。

徐志摩在胡适家写有一篇关于《醒世姻缘传》文学价值的长序。胡适说，"志摩这篇序，长九千字，是他生平最长的，最谨严的议论文字。"又说这是一篇"生动的文字，活泼的风趣，聪明的见解，深厚的同情"文章（见胡适《醒世姻缘传考证·后记一》）。先是1930年夏天，徐志摩生病，胡适去看他病，他向胡适借小说看。胡适拿了《醒世姻缘传》清样给他。他看见清样本已发黄了，纸张又薄，说看不得，翻起来会变成蝴蝶飞。胡适说是很有趣味的书，叫他试看看，留了下来。过两天再去看他，见他正与陆小曼在床上抢着看呢。胡适因向徐志摩提议徐志摩写序，胡适做考证。徐志摩便写了这篇长序。我想如果不是徐志摩欣然答应与胡适合作，1931年胡适要做的工作，是已油印装订成册的《中国哲学史》中古的一部分须要修改，其次他父亲的年谱也打算要写，是不会做《醒世姻缘传》考证的。1931年九·一八后，要办《独立评论》那要没有时间写了。

有一天，徐志摩拿了一篇论陆游的文章，说这是投《新月》的稿，他已看过，觉得一般，要退稿也须提得确当，叫我帮他看看。我到图书馆去借了一部《剑南集》回来，有些地方还核对了《宋史》，然后逐条提出我的意见，写在纸片，贴在稿上。徐志摩看了很高兴。他处理事务这样严肃，也是一件使我意想不到的事。

我写有部《妈港集》，胡适用朱笔批改过了，给我请徐志摩看。他也用朱笔批改，特别是对第一部分《澳门杂记》批改最多。可惜这部稿，今天早已灰飞烟灭了！

徐志摩在暑假时回上海，到9月初来北平。在一个星期天的午后，胡适约徐志摩和我同上景山游览。我于9月15日后回广西。徐志摩于11月11日回上海。11月19日从上海搭飞机回北平。在济南党家庄附近的开山上空遇雾，误触山头，机毁遇难。

徐志摩遇难后，胡适写信告知我，说："你再来北平，少了一个朋友了！"我以长辈尊敬徐志摩先生，哪里敢称为朋友。可是，在胡适家中往来的名流们，能以朋友对待我这个处在卑微地位的青年的只有他一人！徐志摩对人的爱，永远照耀在我的心头。

十一 傅斯年

有朋友问过我："胡适最尊重的朋友是谁？"我不能确切的回答，因为我知道他有几个尊重的朋友，却不清楚最尊重的是谁，只好用疑问的口气回答说："可能是丁文江吧？因为他叫丁文江为大哥。"但是，当朋友问到我："胡适最看重的学生是谁呢？"我就立刻应声回答说："傅斯年。"

傅斯年于 1950 年 12 月 20 日在台北台湾省议会席上答复议员郭国基的询问后，脑溢血症突发逝世。胡适在美国给傅斯年夫人俞大綵唁函 ① 说：

_____

① 见《傅校长哀挽录》，据胡颂平编著《胡适之先生年谱长编初稿》1951 年 1 月 6 日夜和 1 月 7 日谱录。

　　自从孟真的不幸消息证实以后，我天天想写信给你，总写不成！十二月廿一日我发了一短电给你。……孟真的天才，真是朋友之中最杰出的，他的记忆力最强，而不妨害他的判断力之过人。他能做第一流的学术研究，同时又最能办事，他办的四件大事：一是广州中山大学的文学院（最早期），二是中央研究院史语所，三是北大的复员时期，四是台大，都有最大成绩。这样的 Combination 世界稀有。我每想起国内领袖人才的缺乏，想起世界人才的缺乏，不能不想到孟真的胆大心细，能做领袖，又能细心周密的办事。真不可及！

　　孟真待我实在太好了！他的学业比我深厚，读的中国古书比我多得多，但他写信给我总自称"学生"，三十年如一日。我们见面时，也常"抬杠子"，也常辩论，但若有人攻击我，孟真一定挺身出来替我辩护。他常说："你们不配骂适之先生！"意思是说，止有他自己配骂我。我也常说这话，他并不否认！可怜我现在真失掉我的 Best Critic and defender 了。

　　孟真待朋友最忠厚，最热心调护。他待丁在君，真是无比的爱护。

他待青年学者，能尽督责之职，同时又最能鼓舞他们上进。在这一点上，他最像丁在君。

胡适在给毛子水信① 里又说：

> 孟真真是稀有的天才。记忆力最强，而判断力又最高，一不可及。是第一流做学问的好手，而又最能组织，能治事，二不可及。能做领袖人物，而又能细心办琐事，三不可及。今日国内领袖人才缺乏，世界领袖人才也缺乏；像孟真的大胆小心，真有"眼中人物谁与比数"的感叹！

胡适这些话，充分说明了他与傅斯年的关系。1934 年春，胡适撰《说儒》。每星期天下午是他在家做研究的时间，傅斯年就过来共同讨论。胡适的书桌摆两个椅，胡适坐里面的椅。靠外面的椅是给到书房和他谈话的人坐。所以我在工作室里，听不到胡适的声息。傅斯年讨论的内容虽听不出，但他是坐外面

---

① 见《傅校长哀挽录》。

的椅，左一句"先生"，右一句"先生"，恭敬顺从的声音，却声声听得很清楚。我所见任何一个胡适的学生来见胡适，没有一个同傅斯年这样的。

十二　编纂蒲松龄《聊斋全集》

　　胡适要考证《醒世姻缘传》的作者"西周生"是否蒲松龄，须稽查《聊斋全集》。1931 年 3 月，我整理完《胡铁花遗稿》后，胡适借了清华大学图书馆藏的抄本《聊斋全集》，和淄川马立勋藏的抄本《聊斋全集》，叫我校其异同，编一部新编《聊斋全集》。

　　胡适指导我编纂的新编《聊斋全集》包含文集、诗集、词集。当时我写过一篇《聊斋文集的稿本》报道 ①，因篇幅关系只谈文集。但蒲松龄著作主要在于文集，而胡适所需要稽考《醒世姻缘传》的材料也都在文集里给他找到。现在就根

---

　　① 这篇报道，发表于 1935 年 3 月 28 日《大公报·图书副刊》第 72 期。1986 年我编《困学丛书》，把它收入第九种《文史稽考集》第一辑内。

据这篇报道来说说。

据蒲松龄五世孙蒲庭桔的《聊斋文集跋》道："余读柳泉公行略见上载《聊斋文集》共计400余篇，诸体皆备。"而在蒲松龄之孙某所手订的《聊斋文集》蒲氏家传本已有散失。到本世纪20年代最流行的上海中华图书馆出版的石印本《聊斋文集》仅52篇，其中46篇是采自上海国学扶轮社出版的铅印本《聊斋文集》，其余6篇则为石印本编者新加入，这新加入的6篇，胡适考定都是伪作，而这46篇中，有5篇是拟表，有一篇是《志异自序》，拟表松龄另集为专书，《志异自序》则为世所习见，故石印本的《聊斋文集》实只算得有40篇。这行世的40篇《聊斋文集》和原有的400余篇相较还不够十分之一，对要研究这位大作家是一件大缺陷。为此，胡适就特地把他访得的两部抄稿叫我来编这部《聊斋文集》新本。

清华本共133篇，马氏本共176篇。我将这两部抄本核对，其中相同的90篇，其为清华本所独有的43篇，为马氏本所独有的86篇。如果再将清华本与马氏本这两个本子和石印本比较，石印本的40篇文章中有15篇为清华本所没有的，但只有《题时明府余山归意书屋》与《募修鸳鸯谷桥引》两篇为马氏本所无，石印本的缺佚是太多了。而我们把清华本与马氏本就其相同的及独有的编纂起来，便得到了一部219篇的《聊斋文集》。这部新定的219篇本的《聊斋文集》，便是胡适藏本，在当时，除了蒲松龄的400余篇原本和李鉴堂的搜集本之外，是一部篇数最多，内容最真确的本子，外间颇为重视。50年代末，还有一位东欧女作家到南京来要和我谈《聊斋全集》。

这部新编的《聊斋文集》，是研究蒲松龄最重要的材料。我们知道，蒲松龄的《聊斋志异》是一部借狐鬼来讽世嫉俗的小说，《醒世姻缘传》的作风更从讽刺的态度转变为冷酷的刻画。创作与作者的个性和环境是有密切的关系的。如果我们相信张元《柳泉先生墓表》说他"入棘闱辄见斥，慨然曰：'其命也夫！'用是决然舍去"的话，那么，这个大作家，只应产生陶潜式的隐逸诗篇，或《五柳先生传》那样忘怀得失的传记，决不会创造出《聊斋志异》，更不会创造出《醒世姻缘传》。这个一手写成《聊斋志异》与《醒世姻缘传》的蒲松龄，决不是张元墓表中所说的那个听天由命的人物。请看《聊斋文集》蒲松龄在给他妻子写的《刘氏行实》中刻画自己道：

先是五十余，犹不忘进取，孺人止之曰："君勿须复尔。倘命通显，今已台阁矣。山林自有乐地，何必以肉鼓吹为快哉！"松龄善其言；顾儿孙入闱，褊心不能无望，往往情见乎词。而孺人漠置之。或媚以先兆，亦若罔闻。松龄笑曰："穆如者，不欲作夫人耶？"答曰："我无他长，但知止足。今三子一孙能继书香，衣足不至冻饿，天赐不为不厚。自顾有何功德，而尚觊存望耶？"

松龄是个怀才被弃的人。他个性很强，虽然屡次落选而不甘心，所以到了"五十余，犹不忘进取"。但是残酷的命运却把他前进的路限定了。他在五十之年，看见自己的"儿孙入闱"，还"褊心不能无望，往往情见乎词"，而况与他同辈的人，而况与那些才能远不如他的庸才，他怎能不感愤痛恨呢！而且，松龄的家贫，即使他甘心于过安贫的生活也不可得，贫困的环境又迫他不得不过着那种哭笑不得的生活。他在《戒应酬文》中最是写得淋漓尽致，说：

旬前，或以吉启嘱余，而意懒苦于思索，掇笔复置者屡矣。望前之五日，计需期已迫，不得已构之，思犹不属，弯月已西，严寒侵烛，霜气入帏，瘦肌起粟，枵腹鸣饥。回顾酸影在墙，须吻张翕，耸肩缩项，如世钟馗。因讶然而自笑，哂措大之呆痴。于是相对而言曰：苦哉，踽踽凉凉乎，蓻乎，鬿乎，尔胡为者乎？人生世上，具有须眉，无端而代人歌哭，胡然而自为笑啼？无谓矣哉！且也人皆鼎烹，尔独藿藜，人且重裘，尔无絮衣，彷徨永夜，亦孔之凄。……若夫幽房炽炭，茗酒浮卮，奚童旁而剥枣，慢搋篝而吟思。于斯时也，神闲意适，逸兴遄飞，亦文人之雅致，当乐此而忘疲。尔乃坐枯寂，耐寒威，凭冰案，握毛锥，口蒸云而露湿，灯凝寒而光微，笔欲搁而管冷，身未动而风吹，吟似寒蝉，缩如冻龟，典春衣而市笔札，曾不足供数日之挥，愚哉！愚哉！既非孙康之映雪，又非董子之下帷，前无钓饵，后无鞭箠，利己不属，名亦罔归。连连作苦声于终夜，诚可笑而可嗤。于是乃投笔而起，嗒然欷歔，既往者之不谏，尚来者之可追，其从此而永戒，勿复蹈乎前非，越日盟已，更衣未披，忽闻剥喙，若叩柴扉。启门而视，乃我旧戚，携果一榼。载酒一瓶，予怪而问焉。客揖而言曰："将有所事，烦子属词，致不腆之微物，聊以备咿唔之小资。"余闻之，沉吟而笑，未及致辞，心欲耿耿而求戒，脏神哓哓而不依。无已，且效冯妇于一次，过此再戒而弗迟。

从这篇嬉笑怒骂的文章中，可以分明看出一副含泪苦笑的脸！这样一个凄苦的环境，把蒲松龄渐渐地养成一种愤世嫉俗的态度。《聊斋志异》的产生正是从这种态度创作出来的。而到了他的年纪更老大，六十、七十之年到来了，他把人情世故都看得透了，他彻底了悟人生了，于是这种愤世嫉俗的态度，便转变为一种高妙的冷隽，一种轻灵的幽默。他不咒诅人生了，他却站在客观的立场，毫不放松地刻画人生，来暴露人生的丑恶。《醒世姻缘传》的风格，正是他暮年心境的反映。

不但从《聊斋文集》能够看出蒲松龄创作心理的背景，而且从《聊斋文集》中还可以考出蒲松龄创作的本事来。他有一封《与王鹿瞻》的信道：

> 客有传尊大人弥留旅邸者，兄未之闻耶？其人奔走相告，则亲兄爱兄之至者矣。谓兄必怃然而起，匍匐而行，信闻于帷房之中，屦及于寝门之外，即属讹传，亦不敢必其为妄，何漠然而置之也！兄不能禁狮吼之逐

翁，又不能如孤犊之从母，以致云水茫茫，莫可问讯，此千人之所共指，而所遭不淑，同人犹或谅之。若闻亲讣，犹俟棋终，则至爱者不能为兄讳矣。请速备材木之赀，戴星而往，扶榇来归，虽已不可以对衾影，尚冀可以掩耳目。不然，迟之又久，则骸骨无存，肉葬虎狼，魂迷乡井，兴思及此，俯仰何以为人。闻君诸舅将有问罪之师，故敢漏言于君，乞早图之。若俟公函一到，则恶名彰闻，永不齿于人世矣。涕泣相道，惟祈原宥不一！

考蒲松龄《郢中社序》，王鹿瞻是与蒲松龄、李希梅、张历友兄弟等共同发起郢中社的人物，他是蒲松龄好朋友中的一个。这个怕老婆弃父离母，甚至父死旅馆不敢奔丧的王鹿瞻，便是《聊斋志异》的高蕃、杨万石和《醒世姻缘传》的狄希陈的坯子。这个控制丈夫，逐翁弃姑，凶悍恶泼为千人之所共指的王鹿瞻老婆，便是《聊斋志异》的江城、杨尹氏，《醒世姻缘传》的素姐的影子。我们读了这封信，才惝然明白蒲松龄创作之所以着重写悍妇故事，而那部刻画懦夫悍妇丑态最尽致、最无忌惮的《醒世姻缘传》之所以不得不署"西周生"假名，实有由来。

胡适又在《聊斋文集》里，找到一篇记康熙四十二年癸未（1703 年）淄川灾情的《纪灾前编》，开篇就说：

> 癸未四月天雨，二麦歉收。五月二十四日甲子，雨竟日，自此霪霖不休，农苦不得耨，草迷疆界，与稼争雄长。六月十九日始晴，遂不复雨。低田水没胫，久晴不润，经烈日，汤若煮，禾以尽槁。高田差耐潦，然多蚄，蚄奇臭，族集禾莝。……禾被嗜，以秅以秕，蕴尽臭，牛马不食。……

他说这一段记灾的文字颇和《醒世姻缘传》的考证有关系。《醒世姻缘传》第九十回记成化十四年武城县的灾情如下：

> ……谁知到了四月二十前后，麦有七八分将熟的光景，可可的甲子日下起雨来，整日的无夜无明，倾盆如注，一连七八日不住点。刚得住，住不多一时，从新又下。……只因霪雨不晴，将四乡的麦子连秸带穗弄得稀烂，臭不可当。

他认为根据两处所写灾情，都注重"甲子日"的大雨，不是偶然的，可以推想两处的记载是出于蒲松龄一个人的手笔。又可以推想《醒世姻缘传》第九十回的灾情，是康熙四十二三年的淄川灾情，这不但可以考证此书的作者，又可以考见此书的著作到康熙四十二三年蒲松龄六十四五岁时还没有完成。

十三 蒲松龄的生年考

　　1931年3月，我整理完了《胡铁花遗稿》，胡适叫我编《聊斋全集》。他叫我先把清华大学图书馆藏抄本《聊斋全集》、淄川马立勋藏《聊斋全集》、上海中华图书馆石印本《聊斋全集》对照，列个《三种聊斋全集目录对照表》。我把表列成送给胡适，对他说："石印本的文和词，除了极少数之外，都是清华本和马本所收的。最奇怪的是石印本的诗，共262首，没有一首是清华本和马本里面见过的。"胡适先已经很怀疑石印本的《聊斋诗集》，看了这个对照表，更加怀疑了。过两天，他就写成一篇《蒲松龄的生年考》（后来改题作《辨伪举例》）。叫我看，说："石印本的诗集全是假造的，所以没有一首诗和清华本或马本相合。松龄活了76岁，张元撰《柳泉蒲先生墓表》，原没有错，但传抄的墓表误作86岁。这位假造的人，误信了墓表抄本的一个误字，深信松龄活了86岁，所以假造那三首诗，一首《八十述怀》，一首《己未除夕》，一首《戊寅仲夏》，以实享年86之说。这个人真了不得！他做了262首假诗来哄骗世人；许多诗是空泛的拟古之作，如《拟陶靖节移居》，如《拟杜荀鹤宫怨》，那是不相干的。但他又查出松龄的一些朋友，捏造松龄和他的朋友们唱和的诗若干首，又抄袭《聊斋志异》的文字和注文，加上了许多详细的注语，这些注语都好像有来历的，所以许多读者都被他瞒过了。"我细细读了胡适的考证，其中最重要的一条证据，是引用《聊斋文集》松龄给他的妻子写的《刘氏行实》的一段话，说：

> 孺人刘氏……初松龄父处士公敏吾……嫡生男三，庶生男一，……松龄其第三子，十一岁未聘，闻刘公次女待字，媒通之。……遂文定焉。顺治乙未（1655年）间，讹传朝廷将选良家子充掖庭，人情汹动。刘公……亦从众送女诣婿家，时年十三。

按松龄生于崇祯十三年庚辰（1640年），死于康熙五十四年乙未正月二十二日（1715年2月25日），享年76岁。刘孺人生于崇祯十六年（1643 年），比松龄小 3 岁，如果松龄的生年确如石印本诗集享年 86 之说，要提早 10 岁，那么，他 11 岁正当崇祯十三年，他的妻子还没有出世哩。"待字"之说从何说起呢？胡适这一条证据，就把石印本的那些假证据都打倒了！接着胡适再从通行有注本《聊斋志异》里面，把那些假唱和诗中的朋友姓名履历的注语的来源，一条一条的都查出来。从而作出："蒲松龄生于崇祯十三年庚辰（1640 年），死于康熙五十四年乙未正月二十二日（1715 年 2 月 25 日），享年 76 岁"的结论，揭穿了上海中华图书馆石印本《聊斋诗集》的捏造。胡适对他这篇辨伪考证很满意，自称是"生平最得意的一篇考证学的小品文字"。①陈垣致信胡适也表示"至佩"。②胡适根据我作的对勘表作出这篇辨伪的实例，给我多方面的影响，教我懂得怀疑，教我用怀疑的态度去审查资料，尤其是用对勘方法来解决问题。我的太平天国史料辨伪代表作《太平天国史料里第一部大伪书——〈江南春梦庵笔记〉考伪》，便是用对勘方法

---

① 胡适于 1935 年 7 月 30 日写信给北平《晨报》经理陈博生说："我的《辨伪举例》是我生平最得意的一篇考证学的小品文字。"（见耿云志《胡适研究论稿》61 页）

② 陈垣 1933 年 1 月 17 日致胡适信，据耿云志《胡适年谱》1933 年谱。

得来的。我近年用罗贯中《三遂平妖传》与百回《忠义水浒传》对勘证实《水浒传》的著者系罗贯中，而不是施耐庵，原本是歌颂农民起义的七十回，而不是只反贪官、不反皇帝的百回，也是用这个方法。其后用袁无涯本《忠义水浒全传》与百回《忠义水浒传》对勘，考出续加者对罗贯中《水浒传》原本的盗加和盗改，同样是用这个方法。比我年轻一代的研究太平天国史学者，他们看了我的《〈江南春梦庵笔记〉考伪》，也用这个方法去考出太平天国史料中的伪作，如祁龙威同志《〈燐血丛钞〉辨伪》，史式同志《〈燐血丛钞〉考伪》对《燐血丛钞》的揭露，皮明庥同志《杨秀清"武昌祀孔"考——兼论〈鄂城纪事诗〉是部伪书》对《鄂城纪事诗》的揭露等等都是。胡适叫我用对勘方法来编《三种聊斋全集目录对照表》，其影响之大，是出于他意料之外的。

十四 《〈醒世姻缘传〉考证》

《醒世姻缘传》以前并不知名。20 年代初，上海亚东图书馆把它标点重印，已排好六七年了，把清样本留在胡适家，年年催他作序，他因为没有考证出著者"西周生"是谁，未能动手。到1930 年夏，徐志摩看了清样本发生兴趣，胡适和他约定合作，于是才把这项工作布置起来。他到北平去做搬家事项时，先请研究小说掌故的孙楷第帮他做搜查关于《醒世姻缘传》有关山东淄川章邱的材料。第二年初春，胡适已定居北平，亚东图书馆编辑胡鉴初专为《醒世姻缘传》出版事来到胡家，胡适就叫他做聊斋白话文与《醒世姻缘传》比较的工作。我于这年三月，整理完了《胡铁花遗稿》，胡适叫我编著《聊斋全集》，我也投入到这项工作中来。

胡适写成《蒲松龄生年考》后，就接着写这篇大文章

《〈醒世姻缘传〉考证》。

在六七年前，胡适最初感到要考作者"西周生"是谁，好像大海捞针，无可下手处。他研究了全书的内容，看出《醒世姻缘传》的结构是一个两世的恶姻缘，很像《聊斋志异》里的《江城》一篇。他就抓着这点作为下手处，提出可以推测《醒世姻缘传》的作者也许就是《聊斋志异》的作者蒲松龄，也许是他的朋友这一个假设。他有了这个假设，就想设法证实他，或者否证他。证实的工作很困难，他在那几年里只能用《聊斋志异》和《醒世姻缘传》两部书作比较的研究，想寻出一些"内证"。他所寻出的那些内证也有很值得注意的，但总寻不着有力的证据。直到 1929 年，他去北平买了邓之诚《骨董琐记》，见着一条记鲍廷博说蒲松龄是《醒世姻缘传》的作者，他认为这是一条古传说的证明，把这条证据列为第一次证实。但鲍廷博的话见于何书，邓之诚已记不得了，列为第一次证实，是有缺陷的。到在胡适写成这篇考证后 9 个月，1932 年 8 月，我才从我父亲所藏《昭代丛书》癸集杨复吉《梦阑琐笔》里寻出鲍廷博话的出处，把此书寄给胡适。他十分高兴，立即写了一篇《后记二》，指出这一条记载的重要在于证明鲍廷博确指蒲留仙为《醒世姻缘》的作者。鲍廷博是代赵起杲刻《聊斋志异》的人，他的话一定是从赵起杲得来的。赵是山东莱阳人，这话至少代表山东人在当时的传说。他又指出："《梦阑琐笔》的著者杨复吉，乾隆庚寅（1770）举人，辛卯（1771）进士，曾续辑《昭代丛书》的丁、戊、己、庚、辛五集。据《疑年补录》，他生于乾隆十二年（1747），死于嘉庆二十五年（1820），与鲍廷博（1728—1814）正同时，又是很相熟的朋友。《琐笔》中两次记乾隆壬寅（1782）鲍廷博到他家中去访他。他记的话应该是他亲自听鲍廷博说的，其时去蒲松龄死时（1715）不过60多年，虽然其中已夹有神话的成分，还可算是很重要的证据。"我认为胡适这条考证是很细密很严谨的。必须这样层层考证，然后才能说明鲍廷博说的话的可信，然后才能列为第一次证实。

胡适第二项证据，是孙楷第给他找到的证据。孙楷第用《醒世姻缘传》所记的地理、灾祥、人物三项，来和济南府属各县的方志参互比较，证明：（1）书中的地理实是章邱、淄川两县；（2）著书的时代在崇祯康熙时，至早不得过崇祯；（3）作者似是蒲松龄，否则也必是明清之间的章邱人或淄川人。胡适又从《聊斋文集·纪灾前编》考出作者为蒲松龄及到康熙四十二三年（1703—1704）尚未完成，以补充孙楷第的考证。

胡适第三项证据，是从聊斋的白话词曲里证明《醒世姻缘传》作者为蒲松龄，是胡鉴初给他做的。胡适叫胡鉴初先从《醒世姻缘传》把那些特别土语录出来，又从十几种聊斋白话曲文搜集土语，用归纳的方法确定它们的意义，然后两者作比较研究，试探这部小说和那些曲文有没有关系。胡鉴初研究得出相同的结论。胡适据来作出他第三项证据。

胡适《醒世姻缘传考证》就是这三项证据。这篇考证，在胡适全部考证工作中是独特的。他没有过一篇考证长长不停探索了六七年，没有过一篇考证要人帮助才能写，更没有过一篇考证是由集体工作而后完成的。而胡适常以"大胆的假设，小心的求证"教人，他这篇《醒世姻缘传考证》正是用这个方法。他怎样运用这个方法呢？赵俪生同志指出说："他考证的主题是《醒世姻缘传》的作者是谁。《醒世姻缘传》是一部以男女婚姻不幸福、悍妇凶残虐待丈夫作为主题的近一百万字的长篇小说。关于它的作者究竟是谁的问题，胡适确实只有很少的进行推测的根据，那就是《醒世姻缘传》中的悍妇情节跟《聊斋志异》中《江城》篇的情节太相似了，并且蒲松龄在《江城》篇之外，还写了《马介甫》、《孙生》、《大男》、

《张诚》、《吕无病》、《锦瑟》、《邵女》等一系列悍妇的故事。据此推测，《醒世姻缘传》的作者可能是蒲松龄，或者是他的朋友。这是'大胆的假设'，接着就一步步地'小心的求证'了。第一步是从邓之诚《骨董琐记》里找到一条札记，说清中叶刻书家鲍廷博说过蒲松龄除《聊斋》之外还有《醒世姻缘传》一种著作。第二步，孙楷第帮助他从地理、灾祥、人物三方面看，《醒世姻缘传》中的场景，不出山东淄川、章邱两县。第三步，又陆续发现了蒲松龄的17种通俗曲文，胡鉴初帮助他归纳出《姻缘》和曲文中共同使用了大量的山东淄川一带的很奇特的土语，如'豁出去'作'出上'、'狂张'作'乍'等等。最后一步是罗尔纲帮他查到鲍廷博的话的出处，是杨复吉的《梦阑琐笔》（见《昭代丛书（癸集）》）。这样通过以胡适为首的不少人的集体查证，终于落实了《醒世姻缘传》的作者大体就是《聊斋》作者蒲松龄。"① 胡适怎样提出"大胆的假设"，又怎样进行"小心的求证"，赵俪生同志这一段话说得最分明的了。

胡适对他这篇考证十分欣赏，"认为可以做思想方法的一

---

① 赵俪生《胡适历史考证方法的分析》，见《学术月刊》1979 年第 11 期。

个实例"，"给将来教授思想方法的人添一个有趣味的例子"。
他在引首里，把古人那两句："鸳鸯绣取从君看，不把金针度
与人。"改作："鸳鸯绣取从君看，要把金针度与人。"

十五　景山登临

　　1931 年 9 月 10 日左右的一个星期天，胡适在午餐时说："志摩刚从上海来，尔纲过两天要回广西去，今天去游游景山吧。"吃完午餐休息一会就去景山。

　　这天是一个秋高气爽的好天气。到了景山，胡适十分高兴，说："北平天气，一年最好是秋天。真是浮生难得半日闲，怎样才能把工作放下来欣赏这秋光才好。"一路说着上到景山顶，凭吊了崇祯自缢处。俯视故宫，磷磷烂烂的琉璃瓦色彩映入眼帘。一瞬间，胡适的脸忽然阴沉起来，过了一刻，他沉痛地说："东北情况严重，如果当年冯玉祥不把溥仪驱逐出宫，今天北平不知怎样了，那时我反对把溥仪驱逐出去，我错了！"言下不胜沉痛。大家都感到"万方多难此登临"，没有心情再欣赏秋光便回来了。

原来 1924 年 11 月初，冯玉祥在直奉战争前线倒戈，回师北京，发动政变，囚禁贿选上台的总统曹锟，改组内阁，并将溥仪驱逐出清宫。胡适写信给外交部长王正廷，反对将溥仪驱逐出宫，说："我是不赞成清室保存帝号的，但清室的优待乃是一种国际的信义，条约的关系。条约可以修正，可以废止，但堂堂的民国，欺人之弱，乘人之丧，以强暴行之，这真是民国史上的一件最不名誉的事。"此信在《晨报》上发表，舆论大哗。溥仪在辛亥革命时就应该驱逐出宫，冯玉祥驱逐溥仪出宫，正是代表民意的革命行动。当时胡适并不认识到自己的错误。但是，他在七年后，九·一八日本侵占东三省的前夕，意识到大风暴即将到来，认识了自己的错误，沉痛地悔恨自己的错误了。

十六　《独立评论》

九·一八事变，日本开始侵略后，胡适于第二年创办《独立评论》。1932 年 5 月，《独立评论》第一期出版了。胡适说：

> 《独立评论》是我们几个朋友在那无可如何的局势里认为还可以为国家尽一点力的一件工作。当时北平城里和清华园的一些朋友常常在我家里或在欧美同学会里聚会，常常讨论国家和世界的形势，就有人发起要办一个刊物来说说一般人不肯说或不敢说的老实话。
>
> 在君和我都有过创办《努力周报》的经验，知道这件事是不容易的，……所以在那个时期我真没有创办一个新刊物的热心。
>
> 但到了二十年的年底，因为几个朋友的热心，在君和

我也就不反对了。——有几个朋友，如李四光先生，如陶孟和先生，如唐钺先生，原来也参加讨论的聚餐，他们始终不赞成办刊物的，后来都没有加入独立评论社。——在君提议，仿照《努力周报》的办法，社员每人捐出固定收入百分之五，先积了三个月的捐款，然后出版。后来因为我割治一个溃了的盲肠，在医院里住了四十多天，所以我们积了近五个月的捐款，才出第一期《独立评论》（民国二十一年五月二十二日）。出版之后，捐款仍继续。……《独立》出了近两年，社员捐款才完全停止。……为的是要使刊物在经济上完全独立。原来社员只有十一人，捐款的总数为四千二百零五元。这个数字小的可怜，但在那个我后来称为 Pamphleteering Journalism（小册子的新闻事业）的黄金时代，这点钱已很够使我们那个刊物完全独立了。……《独立评论》共出了二百四十三期，发表了一千三百零九篇文章，——其中百分之五十五以上是社外的稿子，——始终没有出一文钱的稿费。所以我叫这个时代做"小册子的新闻事业的黄金时代"。

在君，是丁文江的号。胡适在这段话里说明办《独立评论》的起因及其经费的来源和数目。他在《独立评论》第一号写了一篇《引言》，说明办这个刊物的旨趣道：

我们八九个朋友在这几个月之中，常常聚会讨论国家和社会的问题，有时候辩论很激烈，有时候议论居然颇一致。我们都不期望有完全一致的主张，只期望各人根据自己的知识，用公平的态度，来研究中国当前的问题。所以尽管有激烈的辩争，我们总觉得这种讨论是有益的。

我们现在发起这个刊物，想把我们几个人的意见随时公布出来，做一种引子，引起社会上注意和讨论。我们对读者的期望，和我们对自己的期望一样，也不希望得着一致的同情，只希望得着一些公心的、根据事实的批评和讨论。

我们叫这刊物做《独立评论》，因为我们都希望永远保持一点独立的精神。不倚傍任何党派，不迷信任何成见，用负责任的言论来发表我们各人思考的结果：这是独立的精神。

我们几个人的知识见解是很有限的，我们的判断主张是难免错误的。我们很诚恳的请求社会的批评，并且欢迎各方面的投稿。

　　胡适说他在《引言》里说的"公心的、根据事实的批评和讨论",说的"不倚傍任何党派,不迷信任何成见,用负责任的言论来发表各人思考的结果",这是《独立评论》的根本态度。后来他在46号里,曾仔细说明这个根本态度只是一种敬慎"无所苟"的态度道:

　　……政论是为社会国家设想,立一说或建一议都关系几千万或几万万人的幸福与痛苦。一言可以兴邦,一言可以丧邦。所以作政论的人更应该处处存哀矜敬慎的态度,更应该在立说之前先想像一切可能的结果,——必须自己的理智认清了责任而自信负得起这个责任,然后可以出之于口,笔之于书,成为"无所苟"的政论。

胡适又说:

　　当时我们几个常负编辑责任的人,——在君和我、傅孟真,——都把这个态度看作我们的宗教一样。我们的主张并不一致,常常有激烈的辩争。例如对日本的问题,孟真是反对我的,在君是赞成我的。又如武力统一的问题,

廷黻是赞成的，我是反对的；又如民主与独裁的争论，在
君主张所谓"新式的独裁"，我是反对的。但这种激烈的
争论从不妨害我们的友谊，也从不违反我们互相戒约的
"负责任"的敬慎态度。

　　傅孟真即傅斯年，廷黻是蒋廷黻。我于九·一八事变前几
天回广西。到1934年3月才再来北平。那时《独立评论》已
经出版将两年了。社址在后门慈慧殿北月牙胡同二号。经理为
黎昔非，广东兴宁人，中国公学同学，同吴晗和我都是熟人。
他从《独立评论》出版至抗日战争停刊时止都是他主持排印、
发行工作。我每星期天都去看他。他很忙，从来没有工夫去
玩。我就坐在他办公室里翻看那些交换来的乱七杂八的刊物，
竟然有一篇启发了我后来在中央研究院以"兵为将有"作主
题来研究有清一代的兵制的。北平沦陷后，黎昔非同吴晗和我
一同在天津南归。

　　《独立评论》最后一期为1937年7月18日出版的第243
号。胡适写了一篇《编辑后记》道：

　　　　本月七日午夜，日军在卢沟桥一带实弹演习，借口失

落兵士一名，要求入宛平城内搜寻，我方不允，遂起始以炮火轰击宛平县城。经两方口头交涉，日军退驻原防，宛平则由我方保安队维持秩序。但日方仍由各处增援，不断地以枪炮对我射击，至现时止，双方仍在相持中。此事开展到什么程度，我们不得而知。在此际我们只愿表示我们的态度与决心。我们必须抵抗，如地方当局所表示，敌方如不速停射击，我们唯有准备牺牲！并且我们希望无论作战与交涉，全要听命于中央！

十七　两篇《独立评论》稿

1934 年夏天的一个星期二早上，我吃了早餐到院子散步正走回来，见胡适从楼上下来走到饭厅。我站住脚向他请了早安。他说赶《独立评论》稿到天亮。

我跟他入了饭厅。他说本来已经写有两篇稿，一篇是谈虚君制，使人不致争权位。一篇是反对武力统一，主张把东北让给中国共产党，由他们去试验搞共产主义；试验好后，再进行推广。这两篇稿，都触犯忌讳。以前写好不敢发表，昨夜没有稿，想用，看了一遍，还是不敢用。

白吉庵同志撰《胡适传》向我访问，曾把这件事告诉他。他在所撰《胡适传》第八章第五节主编《独立评论》里联系我关于胡适主张把东北让给中国共产党试验的回忆说：

胡适的这一思想和主张，在美国作家史沫特莱《中国的战歌》一书 59 页里，也有反映。30 年代初期，史氏到北平，曾会见过胡适等人，她在书里回忆说：在一次谈话中，"有一位（指胡适）对我说，应该拨给共产主义者一个省去实验他们的主张，如果证明切实可行，其他各省可以仿效。"由此可见，罗尔纲的回忆是确凿不误的。这说明胡适虽然拥护蒋介石，但仍保留着自己的独立人格和见解，并不是盲从的。他的这种性格当时在北大任教的陶希圣后来有所评论，他说："我对胡先生有一个看法，一个人在任何一个场合，一举一动，恰好适应这个场合，无论是说话，或是谈话，总有不失自己立场而又适应这个场合的一番意义。胡先生就是这样一位学者。"① 陶的观察对我们了解胡适的个性是有帮助的。

---

① 白吉庵注陶希圣这段话的出处，见《传记文学》28 卷，5 期 158 页。（台湾版）

十八　怎样研究制度史

1936 年夏天，我打算要研究清代军制，因将该计划寄请胡适指教。他回了一封信给我，说：

关于清代军制事，鄙意研究制度应当排除主观的见解，尽力去搜求材料来把制度重行构造起来，此与考古学从一个牙齿构造起一个原人一样，这可称为"再造"Reconstruct 工作。

研究制度的目的是要知道那个制度，究竟是个什么样子；平时如何组成，用时如何行使；其上承袭什么，其中含有何种新的成分，其后发生什么。如此才是制度史。

你的《新湘军志计划》，乃是湘军小史，而不是湘军军制的研究。依此计划做去，只是一篇通俗的杂志文章而已。其中第二、三、四章尤为近于通俗报章文字。

我劝你把这个计划暂时搁起，先搜集材料，严格的注重湘军的本身，尤其是关于：

一、湘军制的来历（例如戚继光的《纪效新书》）。

二、乡勇团练时期的制度。

三、逐渐演变与分化。

四、水师。

五、饷源与筹饷方法。

六、将领的来源与选拔升迁方法。"幕府"可归入此章或另立一章。

七、纪律（纸上的与实际的）。

八、军队的联络、交通、斥候等等。（曾国藩日记中记他每日在军中上午下午都卜一二卦，以推测前方消息?）

九、战时的组织与运用。

十、遣散的方法。

我是门外汉，所见如此，不知有可供你的考虑的吗？

我读了胡适这封信，才懂得研究制度的目的何在，什么叫做制度。我著的《湘军新志》和《绿营兵制》便都是照他这个指示做的。1986 年 11 月在北京召开的中国近代军事史学术讨论会，对这两部书，谬蒙赞为"堪称力作"，又论其"主要结论，已为近代军制史的研究者普遍接受"。[①] 美国的拉尔夫·尔·鲍威尔在《1895—1912 年中国军事力量的兴起》一书中，认为我的《湘军新志》的结论，"对充分了解晚清军事制度和权力结构的本质极其重要"。称我为"中国军事历史家"。论者对我如此称许，我是很惭愧的。我只有得到胡适的教导，才免堕入"小史"的窠臼。故记出他这个教导，以告世之研究制度史者。

---

① 据沈渭滨、夏林根、朱学成《中国近代军事史研究述评》，见《历史研究》1987 年第 2 期。

十九　胡思杜

　　我辅导胡思杜读书时，他是个十多岁的儿童。他对老保姆杨妈，在他家做杂役的小二，亲如家人。下午胡适、胡师母都不在家。做完功课后，他拿起小竹竿当武器在院子里飞舞，高喊打倒帝国主义口号。他是非分明。鲁迅在30年代初经常在报上用杂文骂胡适，他们多年不见了。思杜告诉我，有一次，那是个冬天，鲁迅来北京，到胡适家探访，在将进书房时边笑边说："卷土重来了！"思杜赶着去帮他接大衣。胡家来客，有多少显贵，我从不闻说过他给哪一个接大衣。他天资很好，两天就看完亚东图书馆出版的七十回本《贯华堂水浒传》。唱得一口郝寿臣的好戏，他故世后，我每想起他，就感到他如果不是生在这样的人家，得去学唱京剧，何患不给舞台增添光彩。

1948年4月，我从家乡来南京医病，胡适也在南京。我到南京第二天清晨，王崇武同志就走来关照我："你见胡先生，千万莫要提到胡思杜。胡思杜在美国读书，美国要驱逐他，胡先生十分恼火。"我问王崇武美国为什么要驱逐胡思杜，王崇武说不知道，他是同学来信关照他的。我见了胡适是问到胡思杜的。胡适说："思杜在美国学文学，还未学成，现因没有钱，便回国了。"胡适是心里难过不愿说的。据1950年9月28日台湾大学校长傅斯年致函中央日报社为胡思杜《对我父亲——胡适的批判》一文的声明中有说："因失学之故，养成不读书之习惯，对于求学一事无任何兴趣，且心理上亦不无影响。然其为人，据我所知，尚属天性淳厚。后来适之先生在美期间，彼曾赴美就学，连读两个大学，均未毕业，并于适之先生回国后，染上吃喝之习惯，遂于三十七年夏由在美朋友送其回国。"看来北大同学所传的信息比傅斯年所谓"由在美朋友送其回国"可信得多。据《胡适口述自传》说："我也送了我的小儿子去进教友会的大学。"唐德刚注说："适之先生的小儿子思杜，便是海勿浮学院的校友。"

1950年8月，我又从家乡回到我的单位。那时陶孟和先生已经任中国科学院副院长。他来南京，对我说胡思杜写有篇《我的父亲》同胡适划分界线，写得很好，叫我看看。那时初解放，我在家乡未经学习，还不懂得什么叫做划界线。而胡适的问题却正在沉重地压在心头。我听了孟和先生的话，立即去图书室借了《人民日报》来看。我看后启发我认识到胡思杜与胡适还可以划清敌我界线，我做学生的，更可以与老师划清敌我界线了！从此解决了心头的难题，豁然开朗了。20 年前，我是胡思杜的老师，今天胡思杜是我的老师了！

关于胡思杜之死，是几年后才听说的，不知详情，近读耿云志同志《胡适年谱》，在 1957 年的记事里说：

> 九月二十一日，次子思杜因被定为右派，遭到批判而自杀（时在唐山铁道学院马列主义教研室任教）。死前写有遗书给他的一位堂兄。这遗书只剩下残存的一角，那上面还可以看到这样的话，（希望他们努力）"工作，好好学习，为社会主义立点功"。还有把自己所存"五十一元也留给你们"的话。署的日期是九月二十一日。

这段话关系极大，记得十分扼要。我们根据他临死时给亲人的信，再回首检查他一生，他童年时就喊打倒帝国主义，就尊敬鲁迅，他为什么在美国留学遭美国要驱逐他，他为什么不肯随父母离开祖国，不是都清楚了吗！

二十　北京大学文学院秘书卢逮曾

北京大学文学院辖文科研究所，北大文学院秘书也就是文科研究所秘书。这位秘书叫卢逮曾，号吉忱。他每天到文科研究所一次，约以30分钟时间处理行政事务，办公桌就放在考古室内，所以我和他天天见面很熟。

我到文科研究所考古室工作三年，胡适没有来过一次。文科研究所分二部分：孟森主持的明清史料室，罗常培主持的语音室和我工作的考古室。明清史料室和语音室人员多，中央研究院社会科学研究所还派有几十人长期在明清史料室抄录清代档案，事务不少。胡适全部交给卢逮曾处理。胡适任北大文学院长是个兼职，不领薪俸，只上午来半天，下午的事务也交给卢逮曾。

卢逮曾是个很能干的人，胡适对他很信任，我听过胡适向别人称赞他。胡适任北大文学院长因为有了这个人做秘书，所以下半天行政事务才有人处理，也不须亲自到文科研究所来，否则就困难了。1945年我把《师门辱教记》修改，那时卢逮曾在重庆任独立出版社总经理，我寄去请他重印。他要胡适写篇序。胡适到1948年8月才写。他未能印，带到台湾去。1952年，胡适向他取了我的修改稿本，第二年胡适去美国带了去。1958年，胡适回台湾，把稿子带回来，自己出钱印，作赠送朋友之用。胡适写了篇后记，感慨地说："如今吉忱去世已好几年了！"他对卢逮曾还是在怀念中的。

卢逮曾在处理事务上，表现出精明干练，敏捷迅速。他每天处理事务完了，总要跟我聊几句。但他谈吐非常谨慎，只限于他说要研究的五代碑版，和我两个率领社会科学研究所来抄清代档案人员的朋友汤象龙、梁方仲。他绝口不问有关胡适的事，不管外面学生运动闹得天翻地覆，也不谈半句。卢沟桥事变后，我照常上班，到8月中北平陷落，我要离开时，向他提出我要逐一把拓本和工作交他点收。他同意，不厌其烦地，点收了三天。我佩服他的镇定与负责。

我与卢逮曾相处对他的认识就是如此。到1948年4月来南京，和他不见已11年了。他知道我到了南京，来我办公室找我，他推开房门，走了进来，握着我的手，满脸笑容说："我是国民党自由主义派，适之先生直到今天还不知道哩！"我听了他这句话，把我吓了一跳，幸亏我是个不谈政治的人，还不曾在他面前说过什么话。他坐了一刻，就起身说他很忙，今天是特来请我星期天中午去他家叙叙的。到了星期天上午11时，他派汽车来接我。他的家坐落在南京城西山上，环境十分幽静，是一座别墅建筑。他夫人当年在北平结婚时见过。 那天只请我一人。他滔滔不绝向我叙述别后的事情，说抗战时期在重庆办书店、编刊物，都是文化事业。抗战胜利后，当了立法委员，投身到政治中来，有时想到还是从前在北大研究五代史好。他极力阐说他的思想仍是胡适一路的自由主义者，希望老朋友不要因为从政就疏远他。他很高兴，要我多喝几杯，我没有醉，他却要醉了。他那天请我，我想还不是要炫耀他的飞黄腾达，而是想让我替他向朋友们作解释的意思吧。

他向我说的话，我没有同胡适谈及。胡适是不是如同他所说不知道他是国民党员呢？我不知道。但胡适是很信任他的。他要找胡适的时候，不论在家不在家，可以直入胡适的书房，在别人是不可能的。直到他去世后几年，胡适在所写的《师门五年记·后记》上，还表达对他怀念的深情。胡适究竟对他是"待人要在有疑处不疑"呢？还是完全不知道国民党政府把一个秘密党员安排在他的身边呢？

二十一　任驻美大使自称过河卒子

1938 年 11 月，胡适任驻美大使时在照片上题的一首诗道：

偶有几茎白发，心情微近中年，

做了过河卒子，只能拼命向前。

胡适从来不愿参加政府，1931 年 12 月 19 日他在给李石曾的信上说：

连日报纸宣传将有华北政务委员会的组织，并有人选名单的拟议，其中有我的名字。如果这消息是正确的，千万请先生代为向政府方面声明我不愿加入此项政务委员会。

我所希望者，只是一点思想言论自由，使我们能够公开的替国家想想，替人民说说话。我对于政治的兴趣，不过如此而已。我从来不想参加实际的政治。

这是胡适的一贯态度，所以他做了驻美大使，便自以为是"过河卒子"了。

1948年4月初，我回了南京中央研究院社会科学研究所。那时，胡适也来南京，住在历史语言研究所。社会所在前座，历史所在后座。我隔一两天就去看他。他在南京住了一个多月。我感到他变了，使我吃惊。胡适原来是个乐观的人，不垂头丧气，更不说困难话。我向他问师母的安，他说："养小鸡哩。"问胡祖望婚姻事，他说："没有钱租房子，怎能结婚。"他那时考《水经注》已经几年了，没有向我说到一句。我很希望回北大，傅斯年代理校长时，已表示欢迎，并叫我立即前往。可是到他回国，我写了几封信给他，却没有答复，见面也不提。这种态度是前所未有的，使我感到困惑。后来见他对我多年不愈的疟疾的着急，为我多方设法找名医诊治，尤其是见面时他严斥我在昆明拍桌大骂陶孟和先生那回事，说"陶先生栽培你，你倒拍桌子大骂他，你要想想你的大错，我只好为你赔罪了"的话，我才明白他并不是冷落我，而是他预料了一些未来的事，所以他要我留在社会科学研究所，而不要回北大，不过他不好明说罢了。他回北平后，于 8 月 3 日给我写的《师门辱教记》作序，寄来南京，信上说我这部自传给他的光荣比他得到 35 个荣誉博士还大。我那时以为他是说客套话。到1958 年他回台湾，在他生日前 10 天，特地赶印这部小书，改名为《师门五年记》，到 12 月 17 日他 68 岁生日那天作为对贺寿人的回礼，每人一册，以作纪念。以后多次提到这部小书。直到逝世那天的午餐时还向回台湾的吴大猷、吴健雄、袁家骝、刘大中四位科学家谈起这部小书，并每人送一册，我才相信。著名历史学家严耕望看了这部书后说："深感此书不但示人何以为学，亦且示人何以为师，实为近数十年来之一奇书。"① 有一位我教贵县初级中学时的学生潘寿康教授对我说此书在台湾同教科书一样销行。我当初还以为不给胡适看过就刊出他会生气，却想不到他和读者会如此地看待这部小书的。

那时，石原皋被捕，他家人来南京请胡适营救。我见那些人一连好几天低头含愁苦坐在胡适的客厅里，胡适也默默对

---

① 见胡颂平编著《胡适之先生年谱长编初稿》第八册 2989—2990 页录严耕望索赠《师门五年记》的信。

坐。到胡适将回北平时，梁方仲和我商量，叫我对胡适说说保护吴晗的事。胡适一肚子闷气，听了我的话，立刻爆火，说："你不看见吗！石头（石原皋的绰号）家人把我缠死了！今天还同营救罗隆基、冯友兰的时候那样吗！赶快叫他走，有事我是没有办法的！"我告诉了梁方仲，他叫人到北平通知吴晗，吴晗才决定离开北平。

胡适5月初回了北平，我8月间去见中央大学教授程仰之（憬）先生。程仰之绩溪人，由胡适帮助入清华大学研究院。在上海几间大学任教授，后来胡适任中国公学校长，又把他请到中国公学来任教授，大家都是熟人。他说："适之先生不回国就好了，现在陷在泥坑里，他要营救石头，碰得焦头烂额。竟连这一点点儿小面子也不给他，多惨啊！"

1948年胡适的苦闷，正是他陷在泥坑痛苦挣扎的反映。后来他侨寓美国，连居留证都不愿领，他是堂堂的中国人，不肯偷安异国，于1958年4月回台湾。他甘受苦难，毋视磨劫，当权者要把他空投大陆。后来又想到杀人不见血的绝招，等候他病重时，加以围剿气死他。1961年11月，他心脏病复发入医院，围剿就立刻起来了，一直到1962年2月24日逝世时还没有停止。"出殡之日，（台湾）国防部中国电影制片厂负责新闻片的编导，拟派摄影师去拍胡适哀荣，遭到禁拒。"① 可是，千千万万群众空巷路祭，比诸葛亮死后"百姓巷祭，戎夷野祀"更是空前的哀荣却是无法遮掩的。这个开创一代风气的伟大历史风云人物已经深入人心了。人心正是衡量的天平，历史正是见证人。

① 据江南著《江南小语》内《殷海光看胡适》。

二十二　山乡的儿子

胡适很喜爱南宋大诗人杨万里的《桂源铺》绝句，诗云：

> 万山不许一溪奔，
>
> 拦得溪声日夜喧，
>
> 到得前头山脚尽，
>
> 堂堂溪水出前村。

这个山乡的儿子，喜爱这首诗，是要借来给自己写照吧。

胡适（1891—1962），安徽徽州府绩溪县城西约 40 公里的上庄人。这里，襟山带水，群山环抱着一块小盆地，背靠 1100 多米高的竹竿尖，山峰苍翠，耸立村北。村前有一条小溪，日夜不停地奔流。其地山清水秀，胡氏世代聚居于此。

徽州全区都是山地，十分贫瘠，全年农产品只能供给约三个月食粮，为着生存，就只好去城市经商。徽州人这种离家外出，历尽艰苦，冒险经商的传统，也有其文化上的意义。由于长住大城市，在文化上和教育上，每能得一个时代风气之先，他们的眼界就广阔得多了。因此，在中古以后，有些徽州学者，如 12 世纪的朱熹① 和他以后的江永、戴震、俞正燮等能在中国学术界占较高地位，都不是偶然的。

绩溪是徽州府六县之中最北的一个。胡家在清乾隆年间，是一家小茶商。祖先中的一支，曾在上海附近川沙小镇经营小茶叶店，本钱只有银洋 100 元（约合制钱 10 万文）。他的先祖和长兄合作，不但发展了本店，为防别人在本埠竞争，居然在川沙镇上，又开了一家支店。其后经过太平天国时期的挣扎，据清光绪六年（1880 年）的估计，两家茶叶店的总值大致合当时制钱 298 万文（约合银元 3000 元）左右。这两个铺子的收入便是他们一家四房，老幼二十余口衣食的来源。

胡适在唐德刚译《胡适口述自传》第一章《我的家族——绩溪上庄胡氏》里声明说："在这里我也顺便更正一项过去的错

---

① 朱熹是在福建出生的，但婺源却是他的祖籍，婺源属徽州府。

误记载。前北京大学校长蔡元培先生为拙著《中国哲学史大纲》第一卷所写的序言中，曾误把我家说成是世居绩溪城内胡氏的同宗。蔡先生指出：'绩溪胡氏是有家学渊源的，尤其是18、19世纪之间满清乾嘉之际，学者如胡培翚（1782—1849）及其先人们，都是知名的学者。这个在18、19世纪便以汉学闻名的书香望族，其远祖可直溯至11世纪《苕溪渔隐丛话》的作者胡仔。那位抵抗倭寇的名将胡宗宪，也是他们一家。'但是这个世居绩溪城内的胡家，与我家并非同宗。我家世代乡居，故宅在绩溪城北约50华里。历代都是靠小本经营为生的。"胡适这个山乡的儿子，他禀受了明清时代徽州商人勇于开拓、百折不挠的"徽骆驼"精神，天生有一腔坚忍不拔的性格。有人论胡适"容忍"精神人难企及。但这只是他的一面，另一面却是他的倔强精神，例如他明知台湾有一股巨大势力要把他吞掉，却不肯偷安异国，挺然回去。后来雷震在狱中过生日，也写这首诗为祝贺。这些都对他的倔强精神，作了很好的说明。

二十三　胡适对吴晗的栽培

吴晗于1929年秋考入中国公学一年级，就选校长胡适每周上午在大礼堂开的两小时中国文化史大课。这个课程规定学期终时，学生须交论文一篇，那时讲的是西汉经济。吴晗把胡适的讲授记录起来，辑成一篇论文，卖给书店，得了几十元稿费，就于1930年秋来北平，在燕京大学做临时工。他于1931年初夏写了一封信给胡适。5月6日胡适复信说：

春晗同学：

我记得你，并且知道你的工作。

你作《胡应麟年谱》，我听了很高兴。

前年我曾推断胡氏"死时年约五十岁"（见我的《文存》三集页六三〇），但我的根据还很少，不过是一个假定而已。今得你寻出吴之器所作传，考定他死在万历三十年，年五十二岁，与我的假定相差甚微。

但你信上在万历三十年下注"一五六二"是大错。不知何以有此误。此年是一六〇二。生年应是一五五一。

你的分段也甚好。写定时我很想看看。星期有暇请来谈。罗尔纲君住我家中。

我于1930年6月在中国公学毕业，在校时不认得吴晗。他接了胡适的信，就写信去上海请中国公学教授程仰之（憬）先生介绍。他得程仰之先生的介绍信，就于星期天下午来找我，由我带他去见胡适。

他见了胡适，第一句话就请胡适让他免考转入北京大学二年级。胡适立即对他说："入学考试，是国家抡取人才的大典，不得徇私。你考入北大后，费用我可以帮助。"后来吴晗考北大，数学得零分，没有录取。他又考清华大学。清华不考数学，他考取了。我告知胡适。胡适即时取出80元叫我送给吴晗交学膳费用。并于8月19日写了一封信给清华大学的负责人翁文灏、张子高。① 信说：

咏霓
　　两兄：
子高

清华今年取了的转学之中，有一个吴春晗，是中国公学转来的，他是一个很有成绩的学生，中国旧文史的根底很好。他有几种研究，都很可观，今年他在燕大图书馆做工，自己编成《胡应麟年谱》一部，功力判断都不弱。此人家境甚贫，本想半工半读，但他在清华无熟人，恐难急切得工作的机会。所以我写这信恳求两兄特别留意此人，给他一个工读的机会，他若没有工作的机会，就不能入学了。我劝他决定入学，并许他代求两兄帮忙。此事倘蒙

两兄大力相助，我真感激不尽。附上他的《胡应麟年谱》一册，或可观他的学力。稿请便中仍赐还。匆匆奉求，即乞便中示复为感。

---

① 当时翁文灏代理清华大学校长，张子高接任清华大学教务长，见《清华校史丛书·人物志》第一辑《张子高》。

弟　胡适　二十、八、十九

他的稿本可否请

清华 史学系 / 中国文学系 的教授一阅？也许他们用得着这样的

人作"助手"。

后来，吴晗就得清华允准入史学系半工半读，他写信告知胡适。胡适于 9 月 12 日复吴晗一信说：

春晗同学：

你的信使我很高兴。蒋① 、张诸公之厚意最可感谢，甚盼你见他们时为我道谢。

蒋先生期望你治明史，这是一个最好的劝告。秦、汉时代材料太少，不是初学所能整理。可让成熟的学者去工作。材料少则有许多地方须用大胆的假设，而证实甚难。非有丰富的经验，最精密的方法，不能有功。

晚代历史，材料较多，初看去似甚难，其实较易整

---

① 蒋，蒋廷黻（1895—1965），清华大学史学系主任。

理，因为处处脚踏实地，但肯勤劳，自然有功。凡立一说，进一解，皆容易证实，最可以训练方法。

你问的几项，大致可以解答如下：

① 应先细细点读《明史》，同时读《明史纪事本末》一遍或两遍，《实录》可在读《明史》后用来对勘，此是初步工作。于史传中之重要人的姓名、字、号、籍贯、谥法，随笔记出，列一表备查，将来读文集杂记等书便不感困难。读文集中之碑传，亦须用此法。

② 满洲未入关以前的历史，有人专门研究，可先看孟森（心史）《清开国史》（商务）一类的书。你此时暂不必关心。此是另一专门之学。谢国桢君有此时期史料考，已由北平图书馆出版。（孟心史现在北大。）

③ 已读得一代史之后，可以试作"专题研究"之小论文（Monographs），题目越小越好，要在"小题大做"，可以得训练。千万不可作大题目。

④ 札记最有用。逐条必须注明卷册页数，引用时可以复检。许多好"专题研究"，皆是札记的结果。

⑤ 明代外人记载尚少，但如"倭寇问题"，西洋通商问题，南洋问题，耶稣会教士东来问题，皆有日本及西洋

著述，可资参考。蒋廷黻先生必能指导你，我是全外行。

以上匆匆答复定不能满意。

胡适　二十、九、十二

请你记得，治明史不是要你做一部新明史，只是要你训练自己作一个能整理明代史料的学者。你不要误会蒋先生劝告的意思。

吴晗就照胡适的教导做去，后来竟成为一个著名的明史专家。完全都出于胡适的尽力栽培。

关于这一件事，对胡适方面说来，当吴晗向他请求免考入北京大学时，因为他是北京大学负责人，则断然拒绝。到他考入清华大学后，这是他校取人材的事，则不惜向人再三请求帮忙。这是一件十分显著的表明胡适忠于职守，绝不徇私，而为栽培一个有可造之才的青年，则不惜再三求人。

二十四 《南游杂忆》补

1935年元旦胡适在上海坐哈里生总统号船南下，1月4日早晨到香港，1月5日接受香港大学法学名誉博士学位。1月6日下午在香港华侨教育会向两百多华文学校的教员演说了半点钟，讲题是《新文化运动与教育问题》，其中有一段话：

> 我觉得一个地方的文化传到它的殖民地或边境，本地方已经变了。而边境或殖民地仍是保留着它祖宗的遗物。广东自古是中国的殖民地，中原的文化许多都变了，而在广东尚留着。像现在的广东音是最古的，我现在说的话才是新的（胡适自注：用各报笔记，大致无大错误）。

本来广州是要热烈欢迎胡适的，中山大学就预备放假两天，请胡适讲演。由于这一段话，说胡适骂他们"为生番蛮族"，取消了欢迎。胡适只得在广州玩了两天半，黄花岗、观音山、渔港炮台、石牌的中山大学新校舍、禅宗六祖的六榕寺、六百年前的五层楼的镇海楼、中山纪念塔、中山纪念大礼堂，都游遍了。于1月11日下午飞往广西，在广西畅游桂林、阳朔等地的山水12天。1月25日晚赶到香港。我妻陈婉芬带子女在香港等候胡适伴送来北平。26日胡佛总统号开行。船到了上海，孙科立刻上船慰问，向胡适说："我们广东人对不住您，我今天特来向您道歉！"

胡适与孙科同在哥伦比亚同学，向有深厚的友谊。1925年1月底，北京协和医院宣布孙中山肝癌已到末期，无药可医，有人推荐中医陆仲安，陆曾医愈胡适。家属采纳其言，即由孙科伴同胡适偕陆同往诊治。胡适听了孙科的慰问，感到非常快慰，他哈哈大笑，连声说："没有！没有！"孙科把胡适接到旅馆。两人还在旅馆客厅畅谈一番哩。

这件事，胡适写的《南游杂忆》没有记及。今特补记，以见前人交谊之笃。

二十五　胡适笑谈蔡元培关门过夏历新年

1936 年夏历新年，我去胡适家贺年，他给我说了一个贺夏历新年的笑话。那是 1927 年底的事，国民党下了一道禁止过夏历新年的命令。当时我回到家乡广西贵县过年，邻居是一间卖爆仗的店子，爆仗被没收了，店主被拘到公安局去处罚，看来，真正是做到连南方边区也法立令行的地步。

那时胡适家住在上海，蔡元培也住在上海。胡适拜年回来，经过蔡元培家。他考虑国民政府既禁止过夏历新年，蔡元培是国民党元老是不会过的。但又转念过不过夏历新年是蔡元培的事，贺年是他的礼度，他还是应该去的。

于是，胡适按了门铃入去，却完全出乎意料之外。原来蔡家中堂正灯烛辉煌庆祝夏历新年哩！

蔡元培见胡适进来，他连忙一边拱手，一边说："适之先生，恭喜！恭喜！我正在关门过年哩！"

老百姓不敢不遵照法令，而元老却可无视法令。这不是一件对当时国民政府法令的一个绝大的讽刺吗！

二十六　胡适谈戴传贤送给他的对联

　　胡适于 1934 年 11 月 1 日去南京出席考试院长戴传贤召开的考诠会议。

　　戴传贤（1891 — 1949）早年留学日本，参加同盟会。1924 年任中国国民党中央宣传部长。发表《国民革命与中国国民党》、《孙文主义之哲学的基础》，歪曲孙中山学说的革命内容，为蒋介石发动反革命政变制造舆论。1927 年南京国民党政府成立后，任考试院院长。到 1949 年 2 月，中国人民解放大军即将解放全国的时候，戴传贤自杀于广州。

　　关于胡适出席这次考诠会议，三十多年后，胡适对他的秘书胡颂平谈起这件往事，说：

　　　　一般人都说戴季陶（传贤）是很顽固的分子。但骝先先生告诉我，戴季陶并不保守，他是想学好的。那年考试院召开一个全国性的考诠会议，邀请各大学校长出席，蒋梦麟劝我代表北大去出席，他说："你肯参加，他一定感激你的。"到了开会那天，我去了，他果然特别招待我。吃饭之后，写了一副对子送给我：

> 天下文章，莫大胡适，
>
> 一时贤士，皆出其门。

这一副对联，后来不晓得丢在什么地方了。我也没有记在日记里。

戴传贤这副对联见胡颂平编著《胡适之先生年谱长编初稿》第四册 1277—1279 页。胡颂平又注说："陈天锡（伯稼）在《戴季陶先生的生平》一书里（609 页）也记此事，但下联作'一时学者，多出其门'。

尔纲案，胡适谈戴传贤这副对联，是三十多年后记忆的，而陈天锡著《戴季陶先生的生平》一书系据自所辑的资料的，故应以陈天锡所记为是。胡适当时是北京大学教授，蒋梦麟是北京大学校长，故胡适是代蒋梦麟出席。骝先，是朱家骅字。当时任交通部长。

二十七　再记名医陆仲安

我以前写过一篇《名医陆仲安》，说胡适对此事有所隐讳。近年看到几条有关记载，可以补充前记。

首先，是 1995 年 1 月，出版了《胡适遗稿及秘藏书信》。在此书第十五册第八十九页胡适民国十年五月二十四日记说：

> 出城，……又送四件衣料去谢陆仲安医生（此君即治愈我的病的医生）。

陆仲安治好胡适的是什么病呢？当时同在北京与胡适有乡亲关系的石原皋在所著《闲话胡适》三九《胡适相信中医药》曾详细记述道：

　　早年，胡适患肾炎，那时，既没有抗生素，更没有激素。西医对这个病束手无策，他乃求之于中医。该时，北京最好的中医，第一块牌子为萧发龙，他是慈禧的御医；第二块牌子为施今墨；第三块牌子为陆仲安。陆用药，喜用重剂，反对者讥之为蒙古医。胡适请陆诊治。陆的处方以黄芪、党参为主，分量特别重。普通药罐盛不下，乃用砂锅煮药，节制饮食，多吃鱼肚，清炖，不放盐，完全淡食，难以下咽。胡适坚持下去，经过陆仲安的精心治疗，他的肾炎居然全好了。

　　我在此要谈一谈我为什么研究中药。我幼年先天不足，后天失调，疾病缠身，体质极弱。我家世操韩康之业，我日与药罐为伴，直到十六岁才把药罐丢掉。从此，我对中国药物发生兴趣。后来因胡适服中药，治好肾炎，我遂下定决心研究中药。陆仲安的处方主药是党参、黄芪，我和我的老师经利彬教授开始研究中药，就采用党参。经过试验，党参略有强心作用，能增加红血球和血色素，可作为补剂。……

胡适想不到于1921年在日记上记陆仲安治愈他的病特地送四

件衣料去谢，74年后会曝光。这段日记是胡适自己说明了的确是陆仲安治愈他的病的。与他家有乡亲关系的石原皋不但亲眼看见他治病的经过，明确地记明他的病是肾炎，并且由于西医束手无策，而中药却医好了胡适，使石原皋下定决心与老师经利彬教授共同进行研究党参。那么千真万确的事实，胡适却不承认。胡适为什么不承认呢？

胡适逝世后，和他共同创办《独立评论》的蒋廷黻发表了一篇《我看胡适之先生》，说：

> 保守主义者忠于中国的过去，胡适则忠于中国的过去与未来。他要求现代和后来的中国人向前看，不要向后看。他希望中国人达到新的崇高成就，而不是自满于古人已经做过的事情。因此，胡适的思想是启示我们以新的更大的努力去发展一个比过去更辉煌的中国文化。

由于胡适患肾炎，西医束手无策，而陆仲安竟能用中医中药治愈。这不但是当时轰动社会的大事，而且多年后人们还在谈论这件事。这就是一件引人向后看的大事。所以胡适不得不有所忌讳。蒋廷黻论胡适思想这一段话，正是给他这一事件至好的说明。

二十八　胡适与徐悲鸿

　　1929 年 9 月，由于蔡元培先生推荐，徐悲鸿得委任北平艺术学院院长。那时北平艺术学院是顽固守旧的。徐悲鸿以振兴中国艺术为己任，大胆地提出革新的主张。在美术方面，他强烈地贬斥那些复古主义者，抨击那些毫无生气，陈陈相因的八股文人画。他提倡师法造化，提倡国画的革新，号召学习西方一些优秀的技法，使之和中国民族绘画的优秀传统结合，创造出新颖的、有真感、有生气的中国画。在用人方面，他也不墨守成规。当他发现那位木匠出身，已届 67 岁的老画家齐白石的作品不仅体现了中国画高度提炼和概括的特点，而且饶有生气，通过对生活的反复观察，画出了那些栩栩如生的虾和螃蟹，呱呱鸣叫的青蛙，飞翔在残荷上的蜻蜓，惹人喜爱的小鸡，有浓郁乡土气息的山水，既有浓厚的民族特色，又不落古人寰臼。在当时以模仿古人为能事的国画界，如同一枝奇花异卉，引起徐悲鸿的欢欣和赞叹。聘请他为教授，更引起顽固守旧者的反对。

胡适起来支持徐悲鸿，顽固守旧者不得逞。徐悲鸿深感胡适的支持，那年正是胡适做四十大寿。徐悲鸿便画了一匹骏马，亲自送到胡适寿堂拜寿。胡适把这幅画，挂在进门的大照壁上。

徐悲鸿夫人廖静文在所写的《徐悲鸿一生》第二十四章里记北平将解放前，她夫妻前往胡适家请教是否要离开北平说：徐悲鸿和胡适早在20年代就相识，而她"则是1946年到北平来以后才认识胡先生的。他第一次见我时，第一句话便说：'哦，这样高。'我身高是一米六五，由于当时还未曾发胖，就显得高一些。在北平临近解放时，我们又见到胡适先生，谈起时局，曾询问他是否打算离开北平，他回答说，他不打算走。但是，没过几天，他却终于乘飞机走了"。

案胡适一向认为，外国侵略者来，一定要走，内战则不应走。他不是"终于乘飞机走"的，而是国民党政府不愿专家为中国共产党服务，派飞机来接一些专家们时拉走的。

二十九　胡适论《木兰诗》

　　胡适有一天午餐后闲谈，他论《木兰诗》，说全部描写重点在于出征前的感想，征途所见和功成归来的情况，而十年征战，只用"将军百战死，壮士十年归"两句概括，这是何等的笔力！如果谱叙十年征战的经过，这首民歌就使听的人烦厌。没人听了，哪得流传千古。

　　我听了胡适论《木兰诗》的话，想到曾国藩论记事文的写法也有同样的说法。薛福成《庸盦笔记》卷三《圣武记叙川楚教匪谋篇尚有未尽善》记他的话说：

　　　　邵阳魏默深先生（源）著作等身，所著《圣武记》、《海国图志》尤风行海内。然《海国图志》采辑虽博，未经剪裁，尚不及《圣武记》镕化之精，盖纪事诸篇，各有章法，似皆已烹铄而出之。惟所记川楚教匪事不免烦碎，尝闻曾文正论及之。文正之言曰："凡记事之文，须先定章法，然后落笔。《史记》樊、郦、滕、灌诸传，另是一种体裁。盖诸人所经战事不尽关系大局，若必逐事而记之，则太繁琐，故必立一简法以综贯之。诸传文虽不长，而所包举者实广。魏君嘉庆川湖陕靖寇记八篇，病在逐事登记，而无去取，无提掇消纳虚实布置之法，以致头绪不甚明显，线索不甚清晰。试思教匪所窜之地忽川、忽楚，所纠之人，忽多、忽少，其能综举之而无挂漏乎？知此则必有谋篇之诀矣。"文正之说如此，录之以志记事文之法。

胡适指出《木兰诗》的优点，即曾国藩论魏源《圣武记》所撰川楚白莲教的缺点，两者的论点是相同的。但胡适所说使人一听即了然，比曾国藩所论"谋篇之诀"，明朗得多了。

三十　胡适庚午除夕给我的教导

1931 年 2 月 16 晚，那是夏历庚午年的除夕。胡适为着要安慰游子每逢佳节倍思亲的情怀，特地叫我到他的书房去谈谈。

他问我近来晚上做什么研究。我在大学时，对中国上古史曾经做过些探索，写了一篇《春秋战国民族考》。到胡适家，我晚上便根据这篇考证去进一步探索，打算要写一部《春秋战国民族史》。根据的史料以《左传》为主，并引《世本》、《竹书纪年》、《国语》、《战国策》、《史记》，以及五经、诸子等资料，我把写成的两章请他看。他看了说："你根据的史料，本身还是有问题的，用有问题的史料来写历史，那是最危险的，就是你的老师也没有办法帮助你。近年的人喜欢用有问题的史料来研究中国上古史，那是不好的事。我劝你还是研究近代史吧，因为近代史的史料比较丰富，也比较易于鉴别真伪。"

我于第二年回到我的家乡广西贵县走上了研究太平天国史的道路，果然伪谬百出，我把那些伪谬的史料，好似披棘斩荆一样，一条条扫除，先做清道夫，做好了去伪存真的工作，然后才从事研究。在我撰著的太平天国史中，十分之九的工夫都花在这上面。但是，为什么我对上古代伪假的史料却一条都看不出来呢？这是因为时代太远了无法看出，反之，时代近的，就看得清楚了。

胡适对这个问题，真可谓洞如观火。今天想起孟子说过"尽信书，则不如无书"的话，因在书架上拿了《孟子》翻看，他在《尽心》章句下说：

> 孟子曰："尽信书，则不如无书。吾于《武成》取二三策而已矣。"朱熹集注说："《武成》，《周书》篇名。武王伐纣，归而记事之书也。策，竹简也。取其二三策之言，其余不可尽信也。"

孟子离周近，故知《周书》虚谬，所以他在《武成》篇只取二三片竹简，我离周将近 3000 年，就看不出它的虚谬了。这就是我研究上古史，一条虚谬都看不出，到研究太平天国史时其虚谬却满目都是的道理。因将胡适的话记出，以告世之治史者。

三十一　胡适给婉芬和胡师母同摄一照

　　1935 年 2 月胡适代我接妻儿来了北平。我妻陈婉芬在家乡买了一只专食动物的叫做抓鸡虎的野狸腊干了送给江冬秀师母。

　　胡家把这个野狸作为珍品要宴请名流，但厨师不懂得吃野狸的种种操作。因为野狸有臊气。必须先用甘蔗除掉臊气，先把甘蔗的糖分煮出来，再用甘蔗的片做底，然后把野狸放下锅去浸，这个时候要特别注意，浸得不够，臊气除不尽；浸得过久，野狸的真味就要减低。所以这个操作必须要熟手才能掌握。婉芬在家乡做过多次，所以那天她就去胡家厨房动手。

　　适之师感到低亏了我妻的身份，他心里不安，就特地亲自给婉芬和胡师母同摄一照。这不但是我在胡家多年不曾见适之师拿过照相机，就连小思杜见他父亲拿起照相机，也感到奇怪说："爸爸今天照相哪！"

　　胡适从香港代我接妻儿来北平时，我的女儿才两岁，婉芬要抱这个孩子，就不能拿给孩子装吃食的盒子，胡适就给她提着。

　　船到上海，孙科来接船，胡适就替我妻提了食盒一同到旅馆。胡适并不认为低亏了他的身份，而这天婉芬到胡家去做自己送给胡家别人不会做的东西，他却感到低亏了她，胡适体贴人情竟到了这种地步！

三十二　1961 年何勇仁说他读了我攻击胡适的《坦白状》

胡颂平编著《胡适之先生年谱长编初稿》第十册 1961 年 8 月 16 夜谱记胡适给何勇仁信事说：

夜里，有给何勇仁的信。

义夫先生：

上月二十三日蒙先生远来看我，得畅谈半个上午，至今感谢。

那天因是星期日，有不速之客来打扰，想能得先生的谅解。

那天我们谈及贵县姓罗的学生，大概就是罗尔纲。先生读了他的《坦白状》，想必也是这样猜想吧？

《胡适思想批判》第二辑，请先生便中饬人送到台北和平东路一段一一五号中央研究院总办事处（师大对面），至感。

　　我大概月底出国二十天，不及面辞了。敬祝先生安好。

　　　　弟胡适敬上　五十、八、十六夜

尔纲案，我于 1961 年并没有写有什么《坦白状》来批判胡适。我们以前知道当胡适于 1961 年 11 月心脏病复发入医院，围剿立刻起来了，一直到 1962 年 2 月 24 日逝世时还没有停止。现在读了这封信，知道当 1961 年就已经有人假造我写的什么《坦白状》来气胡适哩！

三十三　章希吕记胡适几件事

　　章希吕（1892—1961），安徽绩溪人。早年就读于上海南洋公学、复旦公学，曾在中学任教有年。嗣后任上海亚东图书馆编辑、《独立评论》末校。抗战军兴，自北平返乡赋闲，直至病逝。

　　他在1933年至1937年，曾给胡适帮办书稿抄写整理等项工作，并住胡适家中，所记日记，有关胡适的几件事，兹摘录于下：

甲　记胡适与周启明（作人）等打油诗

二十三年一月十三日偶作　周启明

前世出家今在家（家中传说余系老僧转世），不将袍子换袈裟。

街头终日听谈鬼，窗下通年学画蛇。

老去无端玩骨董，闲来随分种胡麻。

旁人若问其中意，且到寒斋吃苦茶。

尹默戏和（十五日）

两重袍子当袈裟，五十平头等出家。

无意降龙和伏虎，关心春蚓到秋蛇。

先生随处看桃李，博士平生喜豆麻（刘半农有首打油诗）。

这种闲言且休说，特来上寿一杯茶。

适之戏和周启明打油诗

先生在家像出家，虽然弗着俭袈裟。

能从骨董寻人味，不惯拳头打死蛇。

吃肉应防嚼朋友，打油莫待种芝麻。

想来爱惜绍兴酒，邀客高斋吃苦茶。

再和苦茶先生的打油诗

老夫不出家，也不着袈裟。

人间专打鬼，臂上爱蟠蛇。

能干大碗酒，不品小钟茶。

不敢充幽默，都缘怕肉麻。

章希吕于 2 月 2 日日记又记道：前适兄和苦茶先生打油诗有五

言的八句，今天看见苦茶先生为适兄再续八句：

> 双圈大眼镜，高轩破汽车。
>
> 从头说人话（刘大白说），煞手揍王巴（谬种与妖孽）。
>
> 文丐连天叫，诗翁满地爬。
>
> 至今新八股，不敢过胡家。

乙　记胡适游北平西山及胡适前年在秀峰寺和
##　　丁文江题的诗

谁创此者释子深？谁中兴此法家林？

五百年中事翻覆，惟有山水无古今。

我游此地独心喜，佛若有灵亦应尔。

建刹养僧修凹禅，不如开山造林福百里。

读秀峰寺新旧碑记，敬题小诗，呈斐成先生

胡适二十一年八月

不妨忙里且偷闲，千亩林园两座山。

筑室峰头三百尺，爱从高处看人间。

绝笔悬崖别有天，俗尘飞不到岩边。

故乡胜事夸三海，那抵山中一勺泉。

小诗两绝，倩适之代写呈鹫峰主人老友斐成

丁文江二十一年夏

丙 记胡适对我的帮助

章希吕在 1934 年 8 月 29 日日记里记胡适对我的帮助说：

> 适兄和我谈，万孚因要到福建别有高就，基金会里的缺他想请罗尔纲先生去接手。如罗先生愿意往清华读英文，他每月送他一百元，叫我将此情形告知罗先生。

丁 记胡适夫妇性格绝对不同

章希吕在 1936 年 1 月 15 日日记说：

> 我在此住了将近两年，觉得他们夫妇的性情是绝对不同：适兄从来不肯得罪人，总是让人家满意而去，他自己

廿三、四、十五（晴）

林行规先生夫妇邀朋友去游西翠峰山。介绍墨龙潭，

天成朱千泉、朱小三、希伯、尔纲同去。我带了希伯、尔纲去看一晌

遇熟人同游者极多，有乾隆辛亥八十

高士寺写的碑。此处有碑甚多，

八岁的求雨诗，我初见他的墨诗，这一首「翠字

韵诗要算最要多的了。

次到大觉寺，杏花不曲很多，寺中两株玉

兰正盛开，今年花不如往年之多，藤萝甲中还往年

多胜。寺中有遼碑，我们今天没有寻着，但见

拓本册子，我5在民名古诗，岁未留稿。今日

兄要题册子，尔纲代拟一诗，附在此。

晚上作「说儒」

胡适日记（民国廿三年四月十五）并附罗尔纲手录胡适诗

誰創此者釋子深，誰中興此法家林。五百年中事翻覆，惟有山水無古今。我遊此地獨心喜，佛若有靈亦應爾。建剎養僧修四禪，不如開山造林福百里。

讀秀峰寺新舊碑記敬題小詩呈

斐成先生

胡適 二十一年八月

宁可吃些亏；适嫂是一个说得出做得出的女人，不怕人家难为情的。譬如亚东的事，我见她生气此是第二次，适兄就不曾说过半个字亚东做事之不道理。但适嫂之生气，亚东也有自取之道，因孟翁无论对何人都要用他经验的权术，人家都是呆子，只有他一个人聪明。

他在 2 月 18 日日记又说：

> 夜，适嫂因亚东版税及借款事和适兄起了一次争吵。适兄脾气真好，一面劝适嫂息怒，一面还为孟翁解释困难。我虽夹在中间解围，总难以把孟翁之不复信的话说圆。我为适嫂去信已三次，两个月中无一复信。孟翁是精明人，适嫂的精明恐不在他下，或且过之。末后，我说由我再写一信去，适兄再另加一信，才把适嫂的气平下去。

尔纲读了章希吕这两天日记，他说江冬秀师母"是一个说得出做得出的女人，不怕人家难为情的"，又说"孟翁是精明人，适嫂的精明恐不在他下，或且过之"。这话是对的。但是，我处胡家五年，我却常常感到，假如适之师夫人是个留学美国的女博士，我断不能在胡家处五年。我感觉到江冬秀师母是个体恤人情的人。我在上海多年都是穿一条卫生裤。随适之师到了北平，这条卫生裤怎能抵得住北方冬寒。她立刻给我缝了一条厚棉裤。我到北平只穿在上海多年穿的外衣，她把适之师穿的皮衣给我穿。适之师看重我是我给他整理他父亲《胡铁花先生遗稿》。江冬秀师母看重我却是我把她的两个儿子胡祖望、胡思杜教得服帖了。适之师曾请过多种人，有中国公学的事务主任，有留学法国回来的亲戚，有北京大学的助教，都无法教得下。我接触这两个孩子时也感到难教，但我是教过小学几年的，后来做初级中学新班的班主任，天天与十二三岁的少年同住同吃，我懂得儿童的心理，我感到有把握，就对胡师母把这情况告知她，请她由我处理。她同意我的意见。我以前看过大约是汤尔和的著作吧，说胡祖望在万牲园见过大象，后来跟父母游西山，见路上的耕牛就叫做象。我知道孩子是喜爱动物，但见识实在太缺乏了。于是我就把我亲身的经历和见闻告诉他们，特别是毒蛇和大蛇的故事，引得他们非常高兴。我还把我家熟人黄三叔架牛车运货去邻县，路宿荒郊，半夜给老虎拖去，正要吃他，却给他一腔酒气冲上来，老虎被酒气一冲走了。我本生父任贵县教育局长，晚上工作人员都回家了，局中只一个工友叫黄三哥的（他就是黄三叔的小儿子），一只松毛狗伴他在局内。这个机关的后园是一个大池塘，一条叫做开霸蛇的大毒蛇爬进了本生父睡的大竹床的床底。那时正是炎暑之夜，他经常就是在竹床睡过夜的。那夜他已经睡着，大毒蛇伏在床底下开起霸来频频吐气，那只松毛狗汪汪叫要咬那大毒蛇，但却不敢咬，只是在床边狂叫。黄三哥以为是小偷，拿灯来一照，见是大毒蛇，把他吓了一大跳。我们家乡是有专门捕蛇为生的人，他急去叫捕蛇人来。那人到来先把两手涂了蛇药，伸手去床底一捉，把那大毒蛇的头揸紧，一拉就捉出来，他立即把它剖腹，去了肠脏，工友去拿了一个大缸，买了二十斤三花露烧酒浸了起来，专医风湿症用。诸如此类的惊心动魄的故事说给他们听。他们高兴透了。说了不少的动物故事，后来转而说《水浒》李逵，武松打虎的故事，这两个儿童是有阅览小说的能力的，这样一引就使他们走上自己阅读的路上来了。不独阅读了初中的国语、历史的教本，连北大助教教的数学教本也阅读了。他们做了国语、历史的作业，我送给胡师母看，她欢喜极了。到适之师游广西，把我的妻儿接来北平，胡师母就好似母亲一样教导我妻说："用一瓢水都要节省。"后来我妻流产，她又去找医院，找保姆来侍候她。江冬秀师母不但对我家如此，就是对适之师栽培的学生吴晗也如此。抗日战争那年，我们到了天津候船南归。江冬秀师母也到了天津住在周家。周家是一个大公馆。吴晗叫我带他去向江冬秀师母借钱去云南大学做教授。他说要借300元。我说100元就够了，为什么要这样多。他说要多借200元，留给袁霞在北平应用。我带他去见师母，照说了。江冬秀师母立即转身回房间去取了300元给吴晗说："我送给你。"我还不曾见过家庭妇女如此大方哩。所以我认为江冬秀师母是个体恤人情的人。因读章希吕所记把自己的感触写于其后，以供读者参考。

戊 记《独立评论》社的基金

章希吕于1936年3月23日记《独立评论》社的基金说：

《独立评论》社起初发起捐薪百分之五为独立社基金的是如下几个人：

丁在君（共捐240元）　　任叔永（360元）

竹尧生（330元）　　　　吴陶民（340元）

胡　适（360元）　　　　翁咏霓（240元）

三十四　余英时论我写的《清代士大夫好利风气的由来》抵触胡适思想方法

　　余英时① 在《中国近代思想史上的胡适——〈胡适之先生年谱长篇初稿〉序》里论胡适要建立"一步一步自觉的改革论"，与梁漱溟"大革命论"的争论，引到胡适对我写的《清代士大夫好利风气的由来》的批评说：

---

　　① 　余英时（1930— 　），美籍华人历史学家，祖籍安徽省潜山县。1952年获香港新亚学院学士。1962年获哈佛大学博士。1973年起任香港新亚学院院长。现任普林斯顿东亚研究讲座教授。专门研究中国文化史、中国社会史、思想史。在港、台和海外很有影响。据高增德主编《中国现代社会科学家大辞典》825页外籍华人余英时条。

1936 年罗尔纲写了一篇《清代士大夫好利风气的由来》，胡适看了，非常生气，指责他道：

> 这种文章是做不得的。这个题目根本就不能成立。……我们做新式史学的人，切不可这样胡乱作概括论断。西汉务利，有何根据？东汉务名，有何根据？前人但见东汉有党锢清议等风气，就妄下断语以为东汉重气节。然卖官鬻爵之制，东汉何尝没有？"铜臭"之故事，岂就忘之？

试看胡适连这样一个局部性的概括论断（generalization）都不肯随便下，他怎么会轻易提出"中国社会是什么社会"这样全面性的论断呢？梁漱溟的期待当然要落空了。而且从他的观点来说，梁漱溟对这个问题的提法便根本不能成立。罗尔纲的题目不能成立，因为除非我们能先证明清代士大夫比其他各代都更要"好利"，也比其他各代都更不"好名"。我们又必须进一步证明清代所有或至少多数的"士大夫"都"好利"，而不"好名"。最后我们还得建立"好利"和"好名"的严格标准。如果士大夫"好名"、"好利"的现象无代无之，又不能加以量化，那么这个题目当然是没有意义的了。中国社会更是一个复杂万分的整体，我们又用什么标准来为它"定性"呢？更怎样能用一两个字（如"封建"）来概括它呢？其实这里还涉及一个更深一层的问题，胡、梁两人都没有谈到，当时"革命论"者之所以定中国为"封建"社会，其用意根本便不在寻求一种合乎客观事实的历史论断，而是要建立一个合乎他们的"革命纲领"的价值判断，……这样的问题根本不是"历史考证"所能为力的。胡适即使违背自己的学术纪律，勉强答复梁漱溟所提出"中国是什么社会"的问题，我们可以断言，他的答案不但决不会为"革命论者"所接受，而且也不可能获得梁漱溟的首肯，因为梁漱溟也早已有了自己关于"改变世界的具体纲领"了，那便是他的"乡村建设理论"。

这里我们清楚地看到了胡适思想在"改变世界"方面的内在限制。他的科学方法——所谓"大胆的假设，小心的求证"——他的"评判的态度"用之于批判旧传统是有力的，但是它无法满足一个剧变社会对于"改变世界"的急迫要求。批判旧制度、旧习惯不涉及"小心求证"的问题，因为批判的对象本身（如小脚、太监、姨太太之类）已提供了十分的"证据"。科学方法的本质限定它只

223

能解决一个一个的具体问题，但是它不能承担全面判断的任务。即使在专门学科的范围之内也不例外。专门学者或科学家当然无法完全避免在自己专题研究的范围之外，表示一些关于本行的全面性的意见。但是我们必须了解，当他这样做时，他也许仍然表现出科学的精神，但他所用的却已不是严格意义上的科学方法了。科学方法的训练可以使人谨严而不流于武断，正因如此，严守这种方法的人才不敢不负责任地放言高论，更不必说提出任何涉及整个社会行动的确定纲领了。这在实验主义者而言，尤其是如此，因为实验主义者首先便要考虑到社会的效果问题。一言可以兴邦，一言也可以丧邦，他的科学的态度不容许他轻下论断。

余英时指出我写的《清代士大夫好利风气的由来》抵触了胡适的思想方法，所以才如此生气的。

三十五　余英时说胡适以自己早年
　　　　经验指点我

　　胡适晚年偶然对他的秘书胡颂平谈起："蔡先生看到我十九岁时写的《诗三百篇言字解》一文后，便要聘我到北大教书，那时我还在美国。"①

　　余英时《中国近代思想史上的胡适——〈胡适之先生年谱长编初稿〉序》记他看了这一段谈话，联系到我的《师门五年记》，论胡适说：

　　　　后来他在 1936 年 6 月 29 日给罗尔纲的信中劝罗氏用真姓名发表"金石补订笔记之最工者"，并且说："此项文字可以给你一个学术的地位。"这大概是从他自己早年

_____

　　①　见胡颂平编著《胡适之先生年谱长编初稿》第一册第 294 页。

的经验得来的。

余英时这段评论是对的。胡适之师确是要以他青年时得到的宝贵经验指点我的。

《国文百八课》	叶绍钧、夏丏尊
《文心》	夏丏尊、叶圣陶
《经典常谈》	朱自清
《论雅俗共赏》	朱自清
《语文常谈》	吕叔湘
《语文杂记》	吕叔湘
《语文闲谈》[选订本]	周有光
《在语词的密林里》	尘 元
《文章修养》	唐 弢
《汉字王国》	(瑞典)林西莉
《国学常识》	曹伯韩
《万历十五年》	(美)黄仁宇
《中国大历史》	(美)黄仁宇
《中国近百年史话》	曹聚仁
《写给大家的中国美术史》	蒋 勋
《中国建筑文化讲座》	汉宝德
《毛泽东的读书生活》	龚育之、逄先知、石仲泉
《白石老人自述》	齐白石
《绿色遥思》	张 炜
《京华忆往》	王世襄
《岁朝清供》	汪曾祺
《故事和书》	孙 犁
《世界美术名作二十讲》	傅 雷
《傅雷书信选》	傅 雷

图书在版编目（ＣＩＰ）数据

师门五年记·胡适琐记：增补本 / 罗尔纲著. ——
北京：生活·读书·新知三联书店，2012.10
　（中学图书馆文库）
　ISBN 978-7-108-04196-8

　Ⅰ．①师… Ⅱ．①罗… Ⅲ．①胡适（1891~1962）－
生平事迹 Ⅳ．①K825.4

中国版本图书馆CIP数据核字(2012)第178044号

责任编辑　孙晓林
装帧设计　崔建华
责任印制　徐　方
出版发行　生活·讀書·新知 三联书店
　　　　　（北京市东城区美术馆东街22号）
邮　　编　100010
经　　销　新华书店
印　　刷　北京鹏润伟业印刷有限公司
版　　次　2012年10月北京第1版
　　　　　2012年10月北京第1次印刷
开　　本　787毫米×1092毫米　1/32　印张 7.625
字　　数　118千字
印　　数　00,001-10,000册
定　　价　24.00元